IK WAS EEN VAN HEN

GIUSY VITALE

MET CAMILLA COSTANZO

IK WAS EEN VAN HEN

De eerste vrouwelijke maffiabaas vertelt

Vertaald door Philip Supèr

MOURIA

Uitgeverij Mouria en drukkerij Bariet vinden het belangrijk om
op milieuvriendelijke en verantwoorde wijze met natuurlijke
bronnen om te gaan

Oorspronkelijke titel: *Ero cosa loro*
Omslagontwerp: Rudy Vrooman
Omslagfotografie: Ayal Ardon/Trevillion Images

ISBN 978 90 458 0123 0
NUR 402

www.mouria.nl
www.watleesjij.nu

INHOUD

DE ONTMOETING

Dit boek, dit avontuur, is ontstaan, zoals dat zo vaak gebeurt, door een ontmoeting. Of eigenlijk: door een reeks ontmoetingen. En ook is het bij toeval ontstaan. Zoals dat altijd geldt voor echte avonturen.

Ik noem de ontmoeting met Giusy Vitale een avontuur, omdat ik geen deskundige ben op het gebied van de maffia. Het enige 'contact' – als je het zo mag noemen – dat ik met de maffia heb gehad, speelde zich af in 1992, toen ik door een aanslag bijna mijn vader Maurizio ben verloren. Het was een van de vele aanslagen in opdracht van Totò Riina, in de tijd dat Cosa Nostra had besloten in de openbaarheid te treden om zijn enorme macht te tonen en de Italiaanse staat klem te zetten.

Van beroep ben ik scenarioschrijfster. Ik vertel verhalen, en misschien is dat de reden dat ik goed naar mensen kan luisteren. Elk mens is een boek met verhalen, een levende roman, een wereld die nog helemaal ontdekt moet worden.

Een jaar geleden werd ik gebeld door Massimo Proietti, de jongen aan wie ik dit boek te danken heb. Hij vertelde me over Giusy Vitale. Giusy is één jaar ouder dan ik, vijfendertig, en heeft twee kinderen, van veertien en vijftien. Op haar vijfentwintigste, toen ik bezig was met afstuderen, stond zij aan het hoofd van maffia van het Siciliaanse dorp Partinico. Ze is de enige vrouw in de geschiedenis van Cosa Nostra die beslissingen heeft mogen nemen die altijd het exclusieve alleenrecht van de mannen, de *bosses*, zijn geweest. Ze is de enige vrouw die echt het commando heeft gevoerd. Toen haar broers Leonardo en Vito Vitale werden gearresteerd, hebben ze aan haar het leiderschap overgedragen. Aan haar, die zoveel jonger is dan zij, en die door hen is opgevoed alsof ze hun dochter was. Of misschien moet ik zeggen: hun zoon. Een zoon die geacht werd verantwoordelijkheid te dragen en belangrijke taken uit te voeren. Als een echte 'man van eer', als een echte maffioso.

Natuurlijk hebben vrouwen binnen Cosa Nostra een belangrijke, allesbepalende rol. Ze voeden hun kinderen op met de mentaliteit van de vaders, en als hun mannen moeten onderduiken of in de gevangenis zitten, smokkelen zij geheime berichtjes heen en weer, innen het afpersingsgeld en regelen andere zaken. Maar nooit is een vrouw commandant geweest. Nooit heeft een vrouw moorden hoeven te organiseren of plegen.

Met Giusy Vitale is het anders gegaan. Giusy Vitale is zo opgevoed dat ze een echte, actieve maffiosa kon worden. Ze was een nakomertje, met ouders die al behoorlijk op leeftijd waren, en drie broers en een zus die allemaal veel ouder waren dan zij. Altijd heeft ze vooral haar grote broers als haar echte ouders gezien, als de rolmodellen waarop ze zich richtte, als haar *helden*. Giusy Vitale heeft er nooit voor gekozen maffiosa te worden. Ze is het geworden omdat er voor haar geen keuze bestond.

Daarmee wil ik haar absoluut niet vrijpleiten, en ook zijzelf wil dat niet. Ze is zich heel goed bewust van het kwalijke van sommige daden die ze heeft verricht. Ze is tot inkeer gekomen, werkt samen met justitie, en woont nu met haar kinderen ergens ver van Sicilië, ver van dat Sicilië met zijn mentaliteit van *omertà*, van 'zwijgen is goud', waar ze geboren is en dat haar heeft gevormd. En daar heeft ze het niet makkelijk mee, want pubers zijn lastig, en pubers die zomaar uit hun vertrouwde wereld worden geplukt en op een nieuwe, onbekende plek moeten gaan wonen, die hun eigen familie niet meer mogen zien, die een plaats moeten geven aan het feit dat hun moeder toen ze klein waren steeds maar in de gevangenis zat, díe pubers worden misschien nog lastiger.

Dat is de Giusy Vitale met wie ik heb gesproken. Een vrouw die ernstige fouten heeft gemaakt, en die nu probeert de schade daarvan waar mogelijk te verzachten. Een vrouw die weet dat wat gebeurd is niet kan worden uitgewist, maar die hoopt dat haar kinderen voor haar een tweede kans mogen betekenen.

Toen ik over haar hoorde vertellen, wist ik meteen dat ik haar persoonlijk moest ontmoeten. Wat mij interesseerde was namelijk niet wat er allemaal was opgeschreven in de gerechtelijke stukken, maar haar eigen verhaal, het verhaal van een vrouw als ikzelf, geboren en getogen in sociaalculturele omstandigheden die haar bepaalde keuzes hebben opgedrongen. Een verhaal dat ik koste wat het kost wilde horen. Dat is, denk ik, de reden dat ik voorafgaand aan onze eerste ontmoeting nog helemaal niets wilde lezen over de maffia. Ik wilde haar in de ogen kijken en uitsluitend afgaan op mijn intuïtie. Ik stelde het me voor als een toevallige ontmoeting, in een bar, een boekwinkel, of waar dan ook, met een onbekende van wie je niets weet. Lezen, me documenteren, onderzoek doen – die dingen heb ik bewust uitgesteld tot later. Op die ochtend in maart ben ik op weg gegaan om een vrouw te ontmoeten die een verhaal te vertellen had, en ik moest alleen maar naar haar luisteren. Een paar maanden daarvoor had ik het ministerie van Binnenlandse Zaken geschreven, om te vragen of die ontmoeting mogelijk was. Ik wist toen natuurlijk nog niet of dat gesprek een succes zou worden, en of er daarna daadwerkelijk iets uit zou volgen. Het enige wat ik wist, was dat ik bloednerveus was. Als ik nou eens niet opgewassen zou zijn tegen iets dergelijks? Een spijtoptante van de maffia spreek je tenslotte niet elke dag. En daarbij is de maffia bepaald niet iets om lichtvaardig over te denken.

Het ministerie willigt mijn verzoek in, en bepaalt datum en tijd. De ontmoeting moet plaatsvinden op een neutrale plek – niet in Rome, waar ik woon, en niet op het geheimgehouden adres waar zíj verblijft. Ik krijg alleen te horen dat ik op een bepaalde tijd met mijn auto langs de snelweg moet staan. Daar word ik opgepikt door een politieauto, die ik moet volgen.

Zo is de reis begonnen, en zo is het avontuur begonnen. En ik kan het met recht een avontuur noemen, want als, zoals ik zei, elk mens een wereld is die nog ontdekt moet worden, ging ik in dit geval een andere planeet ontdekken. Dat was het gevoel dat ik die hele autorit bij me droeg.

We komen aan op de plaats van bestemming, lopen het appartement binnen waar het gesprek zal plaatsvinden, en gaan zitten wachten. De regel is dat personen in een getuigenbeschermingsprogramma om redenen van veiligheid nooit op een afgesproken tijd ergens aankomen. Zo kan ik even tot rust komen en kennismaken met de politiemensen die Giusy in het dagelijks leven omringen, de politiemensen die een soort familie voor haar zijn geworden. Behalve haar kinderen is dat de enige familie die ze nog heeft. Politieagent Fabio, die ik niet genoeg kan bedanken voor alle hulp die hij me heeft geboden, en die me veel heeft verteld over zijn zware en drukke beroep met onregelmatige werktijden. Het is werk dat een enorme toewijding en betrokkenheid vraagt. De politiemensen houden zich bezig met letterlijk alle facetten van het leven van de personen in het beschermingsprogramma, niet alleen met praktische zaken, maar ook met puur menselijke en persoonlijke. Salvatore, die Sasà genoemd werd en bekendstond om zijn meesterlijke imitaties. Ook hij was 'bijna familie' geworden van Giusy. En Marco, de ladykiller, Lucia en Massimo. Allemaal heel jonge mensen, die hun leven wagen voor 1200 euro per maand. En dat doen ze met een lach op hun gezicht. Ook zij hebben allemaal genoeg verhalen te vertellen om romans mee te vullen, om een film van te maken. Dit boek dank ik ook aan hen, want het feit dat zij er steeds waren heeft het verschil gemaakt.

En ze maken het verschil ook voor Giusy, elke dag weer.

Het appartement waarin we zitten te wachten is koud en onpersoonlijk. Ze leggen me uit dat dit een van de appartementen is die de politie speciaal gebruikt voor dit soort ontmoetingen. Ik heb een opnameapparaatje bij me en een kleine videocamera, al weet ik nog niet wat ik daarmee ga doen, en of ze wel van nut zullen zijn. Eigenlijk heb ik helemaal geen voorbereidingen getroffen, omdat ik er rekening mee houd dat kan blijken dat Giusy en ik elkaar niet erg liggen, en er na deze ontmoeting dus geen tweede zal volgen. Dan krijgt Fabio een telefoontje en begrijp ik dat het moment is aangebroken. Ze komt eraan.

Ik zou niet kunnen zeggen wat voor persoon ik precies verwachtte te zien verschijnen. Maar zeker is dat de vrouw die ik binnen zie komen lichtjaren verwijderd is van het beeld dat ik me van haar had gevormd. Op slag ben ik mijn nervositeit kwijt. Ze lacht me toe, ik lach haar toe. We geven elkaar een hand, stellen ons aan elkaar voor. Allebei hebben we lang moeten wachten op dit moment. We voelen ons een beetje verlegen met de situatie, en omdat we allebei willen roken gaan we meteen naar het balkon en steken we een sigaret op. Ik voel de behoefte om haar direct te zeggen hoe de zaken ervoor staan. 'Ik ben geen deskundige op het gebied van de maffia, ik wil alleen maar graag met je praten. Ik ben hier niet om te oordelen, maar om te luisteren, om te bezien of er uit deze ontmoeting misschien iets kan groeien. Laten we ons proberen voor te stellen,' zeg ik tegen haar, 'dat we in een treincoupé in gesprek raken. Twee vrouwen die elkaar helemaal niet kennen, maar die een praatje maken om de tijd door te komen. Als we eenmaal op ons station zijn, hoeven we elkaar alleen maar even kort gedag te zeggen, omdat we weten dat we elkaar toch nooit meer zullen zien.' Dat vindt ze een goed idee. We gaan op de bank zitten en beginnen te kletsen.

We hebben het vooral over haar huidige situatie, over hoe het haar vergaat als spijtoptante in een beschermingsprogramma. Ze vertelt me over haar kinderen. Ik probeer te begrijpen hoe ze die wil opvoeden en hoe ze zich voorstelt om te gaan met de dubbele last van een huishouden met pubers én de problemen die voortkomen uit de bijzondere situatie waarin zij met haar kinderen moet leven. Ze maakt op mij de indruk van een zorgzame moeder die staat voor haar verantwoordelijkheden. In de periode van de vele verhoren heeft haar zoon haar voortdurend gesteund. Toen ze er een keer enorm tegen opzag om weer naar een zitting te gaan, zei hij tegen haar: 'Mama, je hebt een besluit genomen, en nu moet je ook tot het einde toe doorgaan.' Het is deze zelfde jongen die, toen hij nog klein was en zijn moeder onder zwaar regime in de gevangenis zat, een keer aan haar vroeg: 'Mama, wat betekent "georganiseerde misdaad"?' Giusy heeft me verteld dat zij, als hij die vraag niet gesteld had, misschien wel nooit zou hebben ingezien hoe verkeerd ze leefde. Op dat moment legde haar moederschap haar een keuze op, en terwijl ze hem in haar armen trok en hem uitlegde dat een maffioso een man is die de baas speelt over andere mannen, begreep ze hoe verkeerd dat allemaal was. 'Het is iets slechts... Meer kan ik je er niet over zeggen. Als je later groot bent, snap je het wel.'

Giusy vertelt me over haar leven nu, maar toch leer ik zo ook veel van haar verleden te begrijpen. Ik realiseer me dat ik er geen idee van heb wat het betekent als je op bevel van iemand anders je eigen persoonlijkheid moet opgeven. De gevangenis, haar kinderen en het beschermingsprogramma hebben haar een tweede kans gegeven, de kans om zich een mens te voelen. Dat lijkt iets volkomen vanzelfsprekends, maar voor haar is het dat nooit geweest. Ze vertelt me dat ze zich in de gevangenis voor het eerst in haar leven echt vrij heeft gevoeld. In deze vreemde tegenstrijdigheid toont zich haar hele verleden, toen niets van wat ze deed door haarzelf werd bepaald. In de gevangenis mocht ze lezen, mocht ze een wat kortere rok dragen en haar ogen opmaken als ze daar zin in had. De tijd die daarbinnen verstreek, was van háár, en niet van haar eveneens gedetineerde broer, van haar ondergedoken broer, van advocaten of van haar man. Van haar, háár tijd. Een onderbreking van het dagelijks leven die haar de mogelijkheid heeft gegeven afstand te scheppen tussen haar en haar vroegere bestaan. Alsof ze zichzelf plotseling vanuit de lucht kon zien, en zo kon begrijpen wie ze eigenlijk was: Giuseppina Vitale, en niet langer *Giuseppi*, het kleine zusje van Leonardo en Vito, hun woordvoerster, hun rechterhand, hun geest, hun hart.

Terwijl ze vertelt, begin ik in te zien hoe belangrijk het soms kan zijn of je in Rome dan wel in Partinico wordt geboren. Vooral als je een vrouw bent. Maar ook zie ik in dat er altijd een keuze is, ook al lijkt dat niet zo, ook al lijkt zo'n keuze onmogelijk. Ik vraag haar of ze ooit heeft gedacht dat er voor haar een andere keuze bestond. Haar antwoord is nee. Voordat ze in de gevangenis terechtkwam, heeft het idee dat er alternatieven zouden bestaan voor het leven dat ze leidde zich nooit aan haar voorgedaan. Ik stel vast dat wat me het meest interesseert in haar verhaal dit gebrek aan alternatieven is. Als je op de ene plaats wordt geboren en niet op de andere, in de ene familie en niet in de andere, is je levenslot onvermijdelijk. Maar ook boeit me het gegeven dat zo'n levenslot te wijzigen is, want iedereen die weet te overleven, kan een tweede kans krijgen. Maar doden kunnen die niet meer krijgen, en hun nabestaanden rest niets dan verdriet, woede, berusting.

We praten en zijn ons nauwelijks bewust van het verstrijken van de tijd. In de asbak kan er geen peuk meer bij en buiten is het al donker. De tijd die we tot onze beschikking hadden is verstreken. We hebben alleen gepraat over haar situatie van nu, over haar en mijn moederschap, over dromen en verwachtingen, over deze tweede kans die ze heeft gekregen. Nog steeds weet ik niets over hoe en waarom ze maffiacommandant is geworden. Of over wat ze voelde toen ze over iemands leven kon beslissen, of toen ze met gedoofde lichten over het land moest rijden om de schuilplaats van haar ondergedoken broer te bereiken. Wat ze voelde toen ze hem rugdekking moest geven, liggend in het gras met een pistool in haar hand, terwijl haar kinderen zonder iets te beseffen thuis lagen te slapen.

We nemen afscheid in de wetenschap dat we elkaar snel opnieuw zullen spreken. We begrijpen dat deze reis nog maar net is begonnen.

Omdat dat kletsen van ons iets volkomen natuurlijks had.

We waren gewoon twee vrouwen van dezelfde leeftijd in een treincoupé, tijdens een fictieve reis.

In de loop der tijd is tussen ons de vertrouwensband gegroeid waarvan dit boek het resultaat is, een band die altijd is blijven bestaan.

Het is geen boek over de maffia.

Het is gewoon het verhaal van een vrouw.

Camilla Costanzo

WAT ZE OVER ME ZEGGEN...

Over mij zeggen ze dat ik de eerste 'vrouw van eer' ben...
de eerste maffiavrouw die is gaan samenwerken met justitie.
De kranten schreeuwden het uit: 'Vrouwelijke boss betuigt
spijt. Giusy Vitale is de zus van twee beruchte maffiosi en
leidde de machtige en meedogenloze bende van Partinico...
Lady Maffia die machtiger wilde zijn dan de mannen... De
boss met een rokje aan... Vrouw aan de leiding bij Cosa Nostra... Haar broer Leonardo, vanuit de gevangenis: "Ik heb
gehoord dat een ex-bloedverwante van mij nu samenwerkt
met justitie. Wij verstoten haar, of ze nu leeft of dood is, en
we hopen dat dat laatste snel het geval zal zijn. Het is een giftig insect!"'

Allemaal... zij allemaal die me het liefst dood willen zien,
zeggen dat Giusy Vitale nu 'niemand vermengd met niks'
voor ze is. Maar dat 'niks' heeft ze wél op de knieën gekregen, en dat heeft ze gedaan omdat ze niet wilde dat haar kinderen moesten leven zoals zij, dat ze een bestaan zouden hebben zoals het hare, waarin de liefde voor eigen huis en haard,
de liefde voor je familie, een dodelijke val blijkt te zijn geworden.

In 1998 ben ik gearresteerd. Toen ik gedetineerd was,
brachten ze in de gevangenis mijn toen zesjarige zoontje bij

me. Hij vroeg me hoe ik daar terecht was gekomen. En ook vroeg hij: 'Mama, wat is "georganiseerde misdaad"?' Ik wist hem geen antwoord te geven. Ik trok hem naar me toe, liet hem bij me zitten en probeerde toen toch iets te zeggen. Dat de maffia iets slechts is, en dat als hij later groot zou zijn, ik hem alles zou uitleggen. Maar zijn vraag heeft me wel aan het denken gezet over mijn leven, over de keuzes die ik had gemaakt, die eigenlijk nooit echte keuzes waren, en over wat ik voor mijn kinderen wilde. Voor mijn twee kinderen Francesco en Rita heb ik alle banden met het verleden doorgesneden.

PASTASAUS EN ANGST

Er waren avonden dat de tijd stil kwam te staan.

Ik was nog maar zes jaar, maar van het gezicht van mijn moeder kon ik alles aflezen: nervositeit, spanning, duisternis, vragen... en angst, een angst die ze amper onder controle wist te houden en die haar gelaatstrekken vervormde. Maar alles moest gewoon lijken.

Mijn zus Nina liep telkens maar achter haar aan en deed allerlei vertrouwde huishoudelijke klusjes. Zo probeerde ze ons allemaal gerust te stellen. We hadden net gegeten. Op het gasstel stonden de lege pannen, op tafel de gebruikte borden, broodkruimels overal... En dan die drie lege plaatsen, waar wel was gedekt, maar niemand had gegeten. De lucht in de eetkeuken was doordrongen van de geur van pastasaus, waarbij zich langzaam een ander scherp geurtje voegde, dat ik overal rook, maar waarvan ik nog niet wist wat het was: de geur van de angst.

Mijn vader Giovanni deed van de zenuwen zomaar vrouwenwerk. Hij hielp met afruimen, waarbij hij zich bewoog als een robot. In zijn blauwe ogen zag ik een grote leegte. We durfden elkaar niet eens aan te kijken. We zaten maar te wachten, zonder dat we zeker wisten of ze ook echt zouden terugkomen.

Zachtjes met elkaar pratend waren ze de deur uit gegaan. Telkens wierpen ze elkaar ernstige blikken van verstandhouding toe. De spanning die ze maar met moeite in bedwang wisten te houden, maakte dat ze zich schokkerig en nerveus bewogen. Nooit zeiden ze waar ze heen gingen, en wij vroegen er ook niet naar. Zo ging het altijd.

Buiten, in het dorp, klonk geen enkele stem, geen enkel geluid. Door de buitendeur, die een klein stukje openstond, kwam alleen maar duisternis naar binnen.

Opeens vloog de deur helemaal open: mijn broers waren terug. Leonardo, Michele en Vito stormden naar binnen als wildemannen, bezweet, en met uitpuilende ogen. Ze roken naar iets zoetigs, maar ook naar iets krachtigs: bloed en adrenaline. Zonder naar ons te kijken, brulden ze bevelen naar ons. De nachtmerrie waar ze net middenin hadden gezeten, hing nog om hen heen, en ze hadden grote haast die af te schudden.

Kleren en schoenen vlogen door de gang.

'Mama, je moet meteen die kleren allemaal uitkoken! Alles heel goed wassen, ook die schoenen! Schiet op!'

En mama gehoorzaamde zonder iets te vragen. Eigenlijk hadden ze niet tegen haar hoeven te schreeuwen: ze wist zelf wel wat haar te doen stond. En altijd deed ze dat zonder een woord te zeggen.

DE FAMILIE FARDAZZA EN DE VLIEGER

Ik heb altijd heel goed geweten wie en wat ik was, ook al op mijn zesde. In een dorp als Partinico wordt niets je uitgelegd, maar als je op straat loopt hoor je de mensen kletsen en opmerkingen maken... Wij werden de familie *Fardazza* genoemd, wat in het Siciliaans zoiets als 'de modderkluiten' betekent. Zo noemde iedereen ons: de Fardazza's. Mijn moeder haatte die bijnaam, omdat hij zo viezig en grof was. Die naam hebben we gekregen toen mijn vader ooit een Lamborghini-tractor had gekocht, een groot, blinkend rood ding, waar hij heel trots op was. Toen hij hem ging uitproberen op zijn land, kwamen een paar buren kijken hoe hij met de eg de aarde omwoelde. Ze merkten op dat de kluiten die hij met zijn nieuwe tractor maakte veel groter werden dan ze gewend waren.

'Kijk 'ns, Gianni, wat een kluiten je maakt!'

Vanaf dat moment was mijn vader 'oom Giannino van de kluiten' geworden: *zu Giannino Fardazza*. En later werden wij 'de Fardazza-bende'. Maar die laatste aanduiding durfde niemand uit te spreken waar wij bij waren.

Wat mijn broers allemaal uithaalden, hoorde ik via de radio en televisie, en via het roddelcircuit. In het dorp werden ze nooit openlijk van iets beschuldigd. De mensen scholden alleen maar op 'het tuig' dat een gezinsvader had vermoord of een magazijn in brand had gestoken. Woedend werden de mensen dan, ze vloekten en ze leken uit hun vel te springen. Ook al was ik nog maar klein, ik begreep heel goed dat ze eigenlijk kwaad waren op mijn broers. Ik haatte die mensen. Ik was zo dol op Nardo (we noemen Leonardo nog steeds zo), Michele en Vito dat ik me niet kon voorstellen dat zij de 'slechteriken' waren. Voor mij waren de slechteriken de mensen die kwaad over hen spraken, die raasden en tierden. Meer dan dat durfden die mensen trouwens niet te doen.

Nee, niemand durfde ook maar iets te ondernemen. Partinico, dat op veertig kilometer van de hoofdstad Palermo ligt, behoorde in de tijd dat ik zes was nog echt tot het diepe Sicilië: bewegingloos en zwijgzaam. Misschien nog wel meer dan Palermo zelf. De omgeving is er prachtig: akkervelden, wijngaarden, citrusplantages. Regisseur Damiano Damiani heeft er een paar scènes opgenomen voor zijn film *Il giorno della civetta*, die gebaseerd is op een roman van Leonardo Sciascia. De hoofdrolpelers waren Franco Nero en een ontembare Claudia Cardinale, die in de film zo mooi is dat je je er bijna ongemakkelijk bij voelt. Voor mij was dat toen de hele wereld: het dorp, de velden en de Jato-dijk, die ons in staat stelde ons land in Baronia, dicht bij Partinico, van water te voorzien. Maar als je zes bent, heb je natuurlijk ook nauwelijks belangstelling voor wat er in de echte wereld gebeurt. En je weet er ook vrijwel niets van.

Het was 1978, en de Italiaanse staat had wel iets anders aan zijn hoofd dan de toestand op Sicilië. Op 16 maart hadden de Rode Brigades Aldo Moro ontvoerd, de leider van de grote christendemocratische partij Democrazia Cristiana. Na vijfenvijftig dagen gevangenschap werd op 9 mei zijn dode lichaam gevonden in het centrum van Rome.

Het waren de jaren van 'de strategie van de spanning', van het terrorisme van extreem-links en het terrorisme van extreem-rechts. Op diezelfde 9 mei kwam er op Sicilië ook een einde aan het leven van Peppino Impastato, een jonge, militante activist van de linkse beweging Democrazia Proletaria. En onmiddellijk werd ook zíjn dood op het conto van het terrorisme geschreven. Hij werd gevonden op de rails van de spoorlijn Palermo-Trapani, ter hoogte van zijn woonplaats Cinisi. Er werd gezegd dat hij om het leven was gekomen door een vergissing met de bom die hij zelf had gemaakt, en waarmee hij daar een aanslag had willen plegen. De krant *Corriere della Sera* kopte: 'Linkse extremist aan stukken gescheurd op spoorbaan door eigen bom'. Het was maar een klein berichtje, dat al snel volkomen werd ondergesneeuwd door het verdriet over de dood van Moro.

Maar in werkelijkheid was Peppino Impastato 'aan stukken gescheurd' door de maffia van *don* Tano Badalamenti, die in Cinisi de macht had, en tegen wie Peppino dag na dag tekeerging via zijn lokale radiostation Radio Aut. 'Opperhoofd Tano' noemde hij Badalamenti, met een soort naïeve moedigheid.

In 1966 had Peppino een artikel geschreven met de titel: 'Maffia, een grote hoop stront', wat zijn vader, een maffioso, ertoe bracht hem uit huis te zetten. Zijn familieleden, ook allemaal maffiosi, hadden meteen hun vonnis klaar: 'Als het mijn zoon was, zou ik een graf graven en hem erin gooien.'

Gaetano (Tano) Badalamenti was in de jaren zestig een belangrijk kopstuk binnen de maffia geweest, maar in 1977 was zijn ster al aan het dalen. Hij was buitenspel gezet door de hoogste leiding van Cosa Nostra en was geen lid meer van de Commissie, ook al was hij nog wel gehouden aan al zijn verplichtingen. In dat jaar waren namelijk de 'boeren met modder aan hun poten' aan de horizon verschenen, de bende van Corleone, die onder leiding stond van Luciano Liggio, Salvatore Riina en Bernardo Provenzano. Deze mannen hadden het vaste voornemen om, op welke manier dan ook, de 'Palermitanen' uit te schakelen, en met hen de hele oude garde van Cosa Nostra. Die oude garde, bestaande uit maffiosi met dure merkkleding en protserige pinkringen, zou, om zijn belangen niet te schaden, nooit een frontale aanval op de Italiaanse staat hebben aangedurfd.

In die jaren had Cosa Nostra de heroïne ontdekt en begrepen dat, via handel met Amerika, daarmee bergen geld te verdienen waren. De Corleonezen hadden geen plaats in deze handel omdat ze geen familie hadden in Amerika, zoals de Palermitanen. Vooral Tano Badalamenti en Salvatore Inzerillo sponnen garen bij deze handel. Inzerillo was een neef van Carlo Gambino, die tot zijn dood in 1976 de machtigste clan van New York heeft aangevoerd. Als die 'boeren' uit Corleone Amerika wilden veroveren, moesten ze dus eerst Sicilië veroveren.

Inmiddels was het hun wel gelukt om Michele Greco, een vertegenwoordiger van de 'aristocratische maffia', aan hun kant te krijgen. Vanwege zijn elegante en achtenswaardige verschijning werd hij 'de paus' genoemd. Hij was leider van de clan van Ciaculli, maar bovenal hoofd van de Commissie, de hoogste leiding van Cosa Nostra.

'Paus' Michele Greco had eigenlijk de plicht om alle clans

met elkaar te verzoenen, maar tegen de andere leden van de Commissie verzweeg hij wat de Corleonezen aan het bekokstoven waren. Die andere leden waren: Tano Badalamenti, Stefano Bontade van de bende van Santa Mari del Gesù uit Palermo, Salvatore Inzerillo, Giuseppe Di Cristina, hoofd van de clan van Riesi en Pippo Calderone, van de clan van Catania.

In 1978 gingen de aartsvijanden van de Corleonezen voor de bijl, de concurrende maffiosi die hadden begrepen wat de 'boeren' van plan waren, en er zelfs, zoals Di Cristina, de carabinieri over hadden ingelicht. Op 30 mei werd Giuseppe Di Cristina in de Via Leonardo da Vinci in Palermo doodgeschoten. Hij was de eerste geweest die een beveiligde auto aanschafte, maar hij heeft er niets aan gehad. Hij werd beschoten op het moment dat hij ín zijn auto wilde stappen. Een paar maanden later, op 12 september, werd zijn vriend Pippo Calderone vermoord.

1978 was ook het jaar dat maffiabestrijder Giovanni Falcone zijn intrek nam in het Palermitaanse paleis van justitie. Maar voor Cosa Nostra was hij toen niet meer dan een doodgewone onderzoeksrechter, gewoon nog een smeris erbij. Voor de Siciliaanse maffiosi zijn politieagenten, carabinieri, en rechters namelijk allemaal 'smerissen'.

Palermo lag voor ons op enige afstand, maar op maar een paar kilometer van mijn dorp Partinico lag San Giuseppe Jato, waar de clan van de familie Brusca zich had verbonden aan die van Corleonees Luciano Liggio. In 1976 was niemand minder dan Corleonees Salvatore of Totò Riina, bijgenaamd 'de Korte', zelfs peetvader geworden van de nog jonge Giovanni Brusca, bijgenaamd 'de Mensenslachter' en 'het Varken', de man die op de knop zou hebben gedrukt bij de aanslag in Capaci, die op 23 mei 1992 het leven kostte aan onderzoeksrechter Giovanni Falcone. Brusca zou een van de beste vrienden van mijn broer Vito worden.

De maffia? Daar werd in ons dorp nooit over gesproken. Maar Partinico is altijd een maffiadorp geweest. Toen ik klein was kende iedereen Frank Coppola, die Frank-met-de-drievingers werd genoemd, en in Partinico was geboren. In Amerika was hij een machtig man geworden, en met Lucky Luciano en de hele maffia van New York had hij het Amerikaanse leger geholpen bij de landing op Sicilië in 1943, waarna heel Italië werd bevrijd.

Maar in de buurthuizen en de bars vertelden – of fluisterden – de oudjes van het dorp liever een ander verhaal: dat van *'u zu Santu* en Salvatore Giuliano.

Giuliano stond bekend als 'de koning van Montelepre', een dorp bij Palermo. In de jaren na de oorlog zagen de mensen hem als een soort Siciliaanse Robin Hood, als een held die stal van de rijken en schonk aan de armen. Hij streed voor de onafhankelijkheid van Sicilië, voor een eigen staat, en is uiteindelijk op 5 juli 1950 doodgeschoten in Castelvetrano, naar wordt gezegd door zijn eigen plaatsvervanger Gaspare Pisciotta, die later in de gevangenis op zijn beurt van het leven is beroofd door vergiftiging. Het is een nogal onfris verhaal, waarvan de ware toedracht nooit is vastgesteld. Maar in ons dorp werd verteld dat toen Giuliano niet meer was dan een onbelangrijk smokkelaartje, hij onder de bescherming stond van 'u zu Santu, oftewel Santo Flores, de maffiabaas van Partinico.

Santo Flores had begrepen dat Salvatore Giuliano op den

duur gevaarlijk zou kunnen worden voor de maffia. Hij werkte voor té veel opdrachtgevers. In elk geval is Santo Flores eerder om het leven gekomen dan Giuliano. Op 17 juli 1948 werd hij op de Piazza Duomo in Partinico geraakt door een mitrailleursalvo, en de mensen zeiden dat Giuliano daarachter had gezeten.

Maar toen ik klein was, waren dit allemaal al heel oude verhalen. Het dorp leek nu anders; er was minder armoede, er waren nieuwe huizen. Maar wás het echt wel zo anders?

Nog steeds is er in Partinico niet meer dan één bioscoop en zijn er geen discotheken. Jongeren die iets leuks willen doen en niet de hele dag op het dorpsplein willen rondhangen, móéten wel ergens anders naartoe. Nog maar weinigen weten dat Danilo Dolci aan het eind van de jaren vijftig in Partinico zijn Studiecentrum voor de Vrede heeft opgericht. Met dit centrum en zijn werk onder jongeren wilde hij zich teweerstellen tegen de maffia en de maffiamentaliteit.

Wij woonden in de Via Nullo, in de wijk Casa Santa, aan de rand van het dorp.

Mijn moeder Maria heeft vijf kinderen op de wereld gezet: in 1955 Leonardo, in 1957 Michele, in 1959 Vito en in 1962 Antonina, die we Nina noemen. Toen ik op 25 februari 1972 werd geboren, was mijn moeder negenendertig en mijn vader Giovanni negenenveertig. Toen ik klein was, zag ik hen meer als een oma en opa dan als ouders. Ik vond ze erg oud en moe. Maar mijn broers, die ik als idolen aanbad, waren een en al levenslust. Overal liep ik hen achterna, altijd wilde ik bij hen zijn. Ik was er zelfs bij als ze met hun meisjes uitgingen.

Mijn broers leerden me alles, en maakten dat ik me beschermd voelde. Wat me ook maar overkwam, altijd waren Nardo, Michele en Vito er om voor me te zorgen. En dat deden ze dan ook, op hun eigen manier, soms teder, soms onstuimig – en soms gewelddadig. Die tederheid voelde ik vooral op avonden dat ze moe van het werk op het land waren thuisgekomen en bij me op de bank kwamen liggen om televisie te kijken, met hun hoofd op mijn benen. Of als ik in hun bed kroop om bij ze te slapen. Dan gebeurden er wel eens ongelukjes waar ik nu om moet lachen, maar die me toen in grote verlegenheid brachten. Het is wel eens gebeurd dat ik in Nardo's bed had geplast en de volgende ochtend beweerde dat het zweet was, dat ik het heel erg warm had gehad. Hij lachte dan alleen maar naar me.

Gewelddadig werden ze als iemand me iets naars had aangedaan, ook al was het dan buiten diens schuld.

Op een ochtend als alle andere – ik was nog heel klein, niet ouder dan vijf, want ik ging nog niet naar school – mocht ik van mijn moeder, terwijl zij binnen bezig was, voor ons huis op straat spelen. Mijn nichtje Maria van twee, de echte dochter van Nardo, was bij me. Ik zeg 'de echte dochter' omdat de mensen in het dorp ons heel lang met elkaar hebben verward. Dan dachten ze dat ík het dochtertje van Nardo was. Mijn moeder heeft me trouwens verteld dat toen ik net geboren was, Nardo met me omging alsof hij echt mijn vader was. Ik was natuurlijk gewoon zijn zusje, maar ik was ook de allerkleinste in huis. Ik heb altijd gevoeld dat hij zich verantwoordelijk voelde voor mij en sterk in mijn leven aanwezig was. Met mij bemoeide hij zich veel meer dan met mijn zus Nina. Dat merkte ik heel duidelijk. Nina was het zoete meisje, dat in haar gedrag veel meer op onze moeder leek:

altijd stilletjes en gehoorzaam. Maar ik was een heel levendig kind, klein maar bijdehand en brutaal. En ik maakte er geen geheim van dat ik mijn drie grote broers adoreerde. Ik hield echt heel veel van ze en ik wilde worden zoals zij waren. Zij waren mijn échte familie. Als ik nu terugdenk aan onze verstandhouding, zou ik er misschien wel iets ziekelijks in kunnen zien, maar toen was er voor mij op de hele wereld niets vanzelfsprekenders.

Die ochtend was ik dus op straat aan het spelen met Maria. Ik had een rood plastic paardje op wielen cadeau gekregen en daarop reden we stukjes heen en weer, zonder al te ver weg te gaan. Nóg hoor ik de stem van mijn moeder, die af en toe riep: 'Waar zijn jullie?' En ook het vervelende geluid van die wieltjes op de straatstenen.

Opeens: een luid gepiep, een klap, en daarna duisternis…

Een neef van ons was in zijn auto achteruitgereden en had ons, doordat we natuurlijk nog erg klein waren, niet gezien. Hij had ons overreden. We werden gered door het rode paardje, dat was komen vast te zitten tussen de carrosserie en de straat, en er zo voor zorgde dat we niet al te ver onder de auto schoven.

In mijn mond proefde ik een metalige smaak. Ik hoorde de mensen, die meteen waren komen aanrennen, angstig schreeuwen. Opeens herkende ik de brullende stem van mijn broer Nardo: 'Hé, achterlijke klootzak, wou jij die twee kleintjes van me doodrijden? Kijk toch uit met die kutauto van je!'

Hij was helemaal buiten zinnen, en het had niet veel gescheeld of hij had die neef doodgeslagen.

Een andere keer, toen ik het huis uit was gerend zonder

goed op te letten, werd ik aangereden door een brommer. Toen kwam mijn broer Vito eraan rennen om me te helpen. Door de klap was ik heel even bewusteloos geraakt, en dus lag ik beweginloos op straat. Vito dacht dat de jongen van de brommer me had doodgereden en begon hem een pak slaag te geven terwijl hij schreeuwde: 'Stuk ellende, je hebt onze kleine meid doodgemaakt!'

Ook die keer mankeerde ik niets, en was op het kritieke moment een van mijn broers verschenen om me uit de narigheid te halen. Of beter: om me te redden, want echte helden 'redden' hun prinsessen.

Met Michele was het anders. Hij was de minst agressieve van de drie, en als hij me te hulp schoot, deed hij dat meestal met ironie.

Ik zat inmiddels al op school en elke middag – ik had alleen 's ochtends les – moest ik van mijn moeder naar een soort naschoolse opvang die werd geleid door een broer van onze pastoor. Daar at ik mijn middageten en ik bleef er tot vier uur. Ik vond het er niet leuk. De uren wilden maar niet voorbijgaan, ik verveelde me er stierlijk. De andere meisjes vond ik niet aardig; ik vond ze zelfs heel vervelend en ik begreep ze niet. Om te zorgen dat ze goed aten, werden ze gevoerd; de volwassenen kwamen achter hen aan met een volle lepel. Ze werden echt verwend. Bij mij thuis kwam niemand achter me aan met een lepel soep om me te laten eten. Óf ik at zelf, óf ik at maar niet. Ik was ook wel een beetje jaloers op die meisjes. Waarom zij wel en ik niet? Wat hadden zij dat ik niet had? Ik wilde naar mijn moeder toe, omdat ik het raar vond dat ik niet dicht bij haar was, ook al was die naschoolse opvang dan vlak bij ons huis. Mama stuurde me erheen omdat ze niet wilde dat ik altijd maar op straat speelde, en omdat ze thuis veel te doen had.

In de wc van de naschoolse opvang zat op één of anderhalve meter hoogte een raampje dat uitkeek op de straat aan de achterkant, de Via Principe Umberto. Al snel had ik uitgedokterd dat ik daardoorheen kon klimmen om me dan aan de buitenkant te laten zakken en te ontsnappen. Dat deed ik af en toe, en de enige die het zag was de kapper, die pal tegenover dat slimme raampje zijn zaak had. Eerst gooide ik mijn rugzakje naar beneden, zodat ik niet zo hard neerkwam, en daarna sprong ik zelf. Blij en vrolijk rende ik dan naar mijn moeder, die mijn smoesjes altijd leek te geloven. Maar misschien deed ze alleen maar alsof.

Op één bepaalde middag, toen ik weer bezig was met mijn systeem van rugzakje gooien – zelf springen – zacht neerkomen, was de kapper net bezig met het haar van mijn broer Michele.

'Hé, is dat jouw kleine zusje niet? Moet je kijken wat ze aan het doen is!'

Daar stond Michele voor me, de handdoek van de kapper nog om zijn schouders. Hij deed heel kwaad.

'Wat flik jij nou? Snel naar huis, ik kom eraan!'

Maar toch kon ik zien dat hij niet echt boos was. Later heb ik gehoord dat hij bij de kapper zelfs had opgeschept over die stoere streek van zijn zusje.

Maar de meester van de naschoolse opvang, die broer van de pastoor, was wél echt boos, woedend zelfs. Hij was meteen naar ons huis toe gekomen. Met een vuurrood hoofd stond hij voor me. Hij wilde me aan een oor weer mee naar het schoolgebouw slepen, maar ik glipte als een paling uit zijn handen weg en verborg me onder de tafel. Midden in die heksenketel kwam mijn broer Michele binnen. Ook hij was nu woedend, maar op de meester.

'Blijf met je poten van mijn kleine zusje af! Heb niet het lef om d'r ooit nog 'ns aan te raken!'

Hij joeg hem het huis uit, en de meester heeft bij ons nooit meer een stap over de drempel gezet.

Een ander soort school was voor mij veel belangrijker. Mijn vader werkte op het land, in Baronia. Hij hield koeien, schapen, kippen. Hij was dus een echte boer, en verkocht wijn, olie, kaas en groente. Omdat de mensen hem vertrouwden, werkte hij ook vaak als opzichter op het land van anderen. Het was een rustige man, papa, en hij had absoluut niets te maken met Cosa Nostra. Natuurlijk kende hij Cosa Nostra wel, maar hij was er vooral bang voor, zoals alle eerlijke Siciliaanse huisvaders die kinderen groot te brengen hebben. En ook hij wilde dat zijn zoons heel ver weg bleven van Cosa Nostra, omdat het een dodelijke val is, die vroeg of laat je einde betekent. En dus heeft hij Nardo, Michele en Vito laten opgroeien met werk op het land. Hij hoopte dat zo'n hard maar gezond leven hen zou weghouden van verleidingen en slechte mensen.

Mijn broers waren sterk en gespierd. Je kon zien dat ze altijd in de buitenlucht waren. En ze toonden hun kracht graag. Als er tijdens dorpsfeesten in Partinico of in de omgeving wedstrijden waren, deden ze altijd mee: touwtrekken, gewichtheffen – dat soort dingen. Nardo heeft een keer twee zakken nat zand opgetild die meer dan honderd kilo wogen. Ik was natuurlijk heel trots op ze. En omdat ik toch altijd achter ze aan liep, namen ze me ook mee naar het land en leerden me daar alles wat zijzelf konden. Dat ik een meisje was deed er niet toe. Ze gingen met me om alsof ik een jongen was. Ik hielp bij het schoonmaken van de stallen, bij het benzine gieten in de motor van de pomp waarmee we het land besproeiden en bij het borstelen van het vee. Heerlijk vond ik het om me zo nuttig te maken, en zelfs onmisbaar voor ze te worden. Ik bestond alleen in zoverre voor mijn broers: ik wilde hun aandacht, hun gezelschap. In hun ogen wilde ik zien dat ik belangrijk voor ze was. Ik was de kleinste thuis, en ik was ook nog eens een meisje. Misschien was ik er daarom wel zo op gebrand te laten zien dat ik óók meetelde. En mijn broers deden daar graag aan mee. Ze hadden de grootste lol met me. Met Vito ging ik in een oude Renault 4 het land op, en de hele weg waren we luidkeels aan het zingen. Na een tijdje gaf hij dan plankgas, om meteen daarna een scherpe bocht te nemen. De auto reed dan een stukje op twee wielen. Een paar keer hebben we zo bijna onze nek gebroken.

Maar er waren ook moeilijke momenten. Mijn broers konden heel snel agressief worden. Dan werd het rood voor hun ogen en zagen ze er angstaanjagend uit. Nardo deed aan boksen en bij het minste of geringste sloeg hij erop los. Hij was ontzettend vol van zichzelf en was echt een geboren leider. Hij was de baas over mijn andere twee broers. Toen er in het dorp een keer per ongeluk iemand tegen hem op botste, kreeg die arme jongen meteen een hele serie stompen in zijn gezicht.

Maar ook Vito was niet makkelijk. Toen hij op een dag in de stal de voerbakken aan het schoonmaken was, gaf een koe hem plotseling met haar hoorns een stoot in zijn zij en vloog hij tegen een muur aan. Hij werd meters door de stal gegooid en bleef even versuft liggen. Toen hij weer bijkwam, zag ik op zijn van pijn vertrokken gezicht opeens ook een blinde, onbeheersbare woede verschijnen. Hij pakte een zware stok en begon de koe op haar kop te slaan. En omdat hij daarmee nog niet tevreden was, gaf hij haar ook nog een harde vuistslag tussen haar hoorns. De koe zakte door haar poten en was op slag dood. Later heb ik hem nog vaak horen opscheppen over deze prestatie van hem. Mens of dier: kijk uit als je aan een Vitale komt! Maar een andere keer heb ik kunnen zien hoe Vito geweld gebruikte om juist iets goeds te bewerkstelligen. Misschien was het wel helemaal niets bijzonders voor mensen die een leven op het land gewend zijn, maar ik was nog klein en de gebeurtenis is me bijgebleven. Een van onze koeien moest kalven, en het kalf wilde maar niet naar buiten komen. Mijn broer probeerde door op de buik van de koe te drukken de persweeën op te wekken. Ook probeerde hij het kalfje aan zijn kop naar buiten te trekken. Niets lukte, en de koe en het kalfje hadden allebei niet lang meer te leven. Toen sneed Vito met een vlijmscherp mes de buik van de koe open. Met een heuse keizersnede redde hij zo moeder en kind, waarna hij de wond met naald en draad weer dichtnaaide.

Omdat we stallen met koeien en kalveren hadden, noemden ze ons in het dorp 'de koeienmelkers'. Dat was natuurlijk vóór de tijd dat ze ons gingen vrezen en we de 'Fardazza-clan' werden. Maar daarop kom ik later terug… Behalve koeien hadden we ook paarden. Die dieren waren de grote liefde van mijn vader, die in het dorp en de omgeving op het gebied van paarden een soort deskundige was geworden. Als iemand een paard wilde kopen of verkopen, kwamen ze zijn advies vragen. Hijzelf had er een stuk of vijftien, en hij verzorgde ze alsof het zijn eigen kinderen waren. Hij ging zelfs zover dat hij zich door de dokter injectiespuiten met ijzer en vitamines liet voorschrijven, die hij dan gebruikte voor zijn paarden. Van de grote renbaan Capannelle in Rome had hij twee volbloed renpaarden gekocht, die zijn grote trots waren en die ook mijn broers schitterend vonden.

Niet-Sicilianen weten vaak niet hoe belangrijk paarden zijn in het Siciliaanse binnenland, of liever: hoe belangrijk ze nog waren toen ik klein was. Sicilië heeft een bar, onherbergzaam landschap, met ongenaakbare bergen, uitgestrekte hoogvlaktes, vaak zonder echte wegen en alleen wat door het vee uitgelopen paadjes, waarop de mensen zich vroeger alleen per paard of muilezel verplaatsten. Toen mijn ouders klein waren, reden er nog maar heel weinig auto's rond in het dorp. De dokter had er een, en de burgemeester, de notaris, de apotheker misschien. Als je een paard bezat, werd je gerespecteerd. Dat betekende dat je iets had bereikt, dat je niet net zo straatarm was als de meeste van de andere boeren. Op paarden reden bijvoorbeeld de rentmeesters die, met een geweer aan hun schouder, de landerijen van de rijke heren uit Palermo bewaakten. Vaak waren dat de maffiosi van het dorp.

Papa is nooit een maffioso geweest, maar in die liefde en zorg voor zijn mooie paarden zat volgens mij ook een drang om te laten zien dat hij niet zomaar een boertje was, en dat je ook zonder geweld te gebruiken respect kunt afdwingen. Het was een zachtaardige, lieve man, en in de loop der jaren heb ik het leven steeds meer uit hem zien wegtrekken. Onder de onbeschoftheid van mijn broers, die hem zelfs wel eens hebben geslagen, raakte hij steeds meer in zichzelf gekeerd. Maar die hartstocht voor paarden leefde ook bij mijn broers. Bij wedstrijden in het dorp reden ze op die van mijn vader, en ik was er altijd bij om hen fanatiek aan te moedigen of, als dat nodig was, te vechten met supporters van andere ruiters.

Bij ons thuis was Vito de beste jockey, maar soms huurde onze vader ook wel eens professionele jockeys in om op zijn renpaarden te rijden. Vaak wonnen die dan ook prijzen. Op een wedstrijd in Alcamo won een keer Orfanella, een merrie waaraan ik bijzonder was gehecht, en die al vanaf dat ze klein was door mijn vader was verzorgd. Misschien identificeerde ik me wel een beetje met dat paard. Toen ze werd geboren, stierf haar moeder, en papa had haar met veel liefde grootgebracht. Hij gaf haar te drinken uit een zuigfles en nam haar soms zelfs mee naar binnen in ons huis. Mijn vader had een aparte stal voor haar gemaakt, en tussen hen twee was een heel bijzondere band gegroeid. Orfanella volgde mijn vader overal en hij hoefde niet eens teugels voor haar te gebruiken. Hij behandelde het paard echt alsof het een dochter van hem was. Het was de mascotte van ons gezin geworden. Toen ze de prijs van Alcamo had gewonnen, ging ik op haar rug zitten en liet ik een foto van mezelf nemen alsof ik de jockey was. Ik stráálde. Die foto bewaar ik nog steeds, als een van de mooiste dingen van mijn leven. De prijs zelf heb ik helaas niet meer. Dat was een prachtige trofee: een beeldje van een renpaard met de jockey staand ernaast op een voetstuk van hout, en met vier geornamenteerde pilaartjes eromheen. Op die pilaartjes was een schitterende winnaarsbeker met deksel gemonteerd. Iedereen vond die beker het allermooiste wat we in huis hadden, en hij had dan ook een prominente plaats gekregen op het dressoir in de huiskamer. Deze trofee zou later een eigenaardige bestemming krijgen, die op ons, de familie Vitale, van grote invloed zou zijn, maar indirect ook op heel Italië.

Ook over paarden heeft Vito me veel geleerd. Hij heeft me bijvoorbeeld geleerd om ze te 'ontbloeden'. Het gaat daarbij om een soort kleine operatie die je uitvoert onder aan de nek van een renpaard, wanneer ze te opgewonden zijn geraakt door een race en die opwinding een hartinfarct zou kunnen veroorzaken. Met een mes snijd je een slagader open, waardoor er een fontein van bloed naar buiten komt spuiten. Meteen daalt de bloeddruk en wordt het paard rustiger. Maar ik heb ook eens iets meegemaakt met een paard waarover ik, toen ik in de gevangenis zat, veel heb nagedacht, omdat ik het gevoel had dat ik in die belevenis de betekenis van mijn leven heb kunnen zien.

Op een ochtend kwam Vito te paard naar huis. Hij was moe, nerveus, en had duidelijk haast. Bij de buitendeur begon hij mijn naam te roepen. Toen ik was verschenen, blafte hij me toe: 'Hou m'n paard vast, ik ga binnen even water drinken. En denk erom: absoluut niet loslaten!'

Het was echt een bevel. Hij dacht er totaal niet bij na dat ik nog maar vijf jaar was en dat het paard groot en zwaar was, en dat ik misschien wel niet sterk genoeg was om hem in toom te houden aan de teugels die hij mij in handen had gedrukt. Mijn broer had er niet aan gedacht, maar het paard kennelijk wel. Gevoelig als die dieren zijn, had het meteen door dat het zwakke handjes waren die nu zijn teugels vasthielden. Zodra Vito naar binnen was, begon het paard zich te verzetten. Het maakte rukbewegingen met zijn hoofd om zich te bevrijden, maar ik liet de teugels niet los. Toen begon het te galopperen en werd ik meegetrokken. Ik vloog van het stoepje voor ons huis en werd meegesleurd de weg af. Maar de teugels liet ik nog steeds niet los. Zo koppig als ik me vastklampte aan die teugels leek ik wel een vlieger die door de wind wordt meegenomen. Het was natuurlijk levensgevaarlijk, maar Vito had me gezegd dat ik het paard niet mocht loslaten, en dus liet ik het niet los.

Door het geluid van de hoeven op het asfalt en het geschreeuw van de mensen had mijn broer meteen begrepen wat er aan de hand was. Terwijl hij probeerde ons rennend in te halen, brulde hij naar me dat ik de teugels moest loslaten en weg moest gaan bij dat op hol geslagen paard. Maar ik vertikte het. Misschien speelden de shock en de angst een rol, maar ik herinner me dat ik geen kik heb gegeven. En het sterkst herinner ik me mijn allesoverheersende wil om Vito niet teleur te stellen, om hem te tonen wat ik voor hem kon betekenen. Ik werd gered door een man op straat die begreep dat dat kleine meisje in groot gevaar was. Heel moedig sprong hij met gespreide armen voor het paard, dat toen inderdaad inhield en zich liet grijpen. Even later was ook Vito bij ons. Toen hij me in zijn armen nam, voelde ik hoe snel mijn hart klopte.

Zoals ik zei, heb ik jaren daarna veel over die angstige ervaring nagedacht. Die weggeblazen vlieger, dat was ík ten voeten uit: klein, koppig, en uit liefde voor mijn broers bereid om te sterven achter een op hol geslagen paard. Ik had alleen maar hoeven loslaten en me inhouden voordat ik zou vallen, voor ik gewond zou raken, voor ik verder meegesleept zou worden naar misschien wel iets heel ernstigs. Maar dat heb ik toen niet gedaan. Dat op hol geslagen paard heb ik pas vele jaren later losgelaten...

VROUWENWERK

Mijn vader en broers waren niet veel in huis. Daar was altijd alleen mama, die het gezin draaiende hield met het geld dat papa haar gaf en waarmee ze het moest doen. Ze had een wat gezet postuur, maar ze drentelde energiek rond. Ze rende soms zelfs; overal was ze. Al vanaf dat ze een klein meisje was, had ze een hard leven gekend, omdat haar ouders heel veel kinderen hadden en er soms verschrikkelijke dingen gebeurden in hun gezin. Toen ze nog maar een puber was, had ze tijdens een pestepidemie twee zusjes verloren. Vaak vertelde ze daarover.

Voor ons kinderen zorgde alleen zij, niet mijn vader. Kinderen opvoeden, ze verzorgen, ze bijstaan als het nodig is – dat waren de taken voor een vrouw. Op Sicilië worden die gezien als *cosi di fimmini*, als vrouwenwerk. Ik zag mijn ouders nooit echt met elkaar praten, en nooit bespraken ze problemen waar wij bij waren. Misschien deden ze dat 's nachts in bed, als ze met z'n tweeën waren en het stil was in huis. Want problemen om te bespreken waren er genoeg: al heel vroeg begonnen mijn broers die te veroorzaken. Om ze zover te krijgen dat ze op het land zouden blijven werken, had mijn vader vrachtauto's voor ze gekocht, waarmee ze most, wijn, groente en vee konden vervoeren. Voor Michele had hij zelfs een poelierswinkel gekocht. Maar voor hen was dat allemaal niet genoeg, ze wilden veel meer. En ze waren met z'n drieën, verenigd, sterk, onderling solidair. Wie was in staat om ze het hoofd te bieden? Mama? Papa?

Zo lang ik me kan herinneren, is de gedachte aan mijn broers verbonden aan de gevangenis, aan politiebureaus, aan de carabinieri, aan een constante angst die bij ons thuis heerste, en die mama helemaal alleen probeerde te verbijten. Zij was degene die het contact onderhield met Nardo, Michele en Vito als ze in de gevangenis waren beland, zij liep de advocaten af, zij werkte zich door juridische documenten heen die eigenlijk veel te ingewikkeld voor ons waren. En ze deed dat allemaal zonder een krimp te geven.

In het begin waren het kleine dingen waarmee de jongens in de problemen kwamen: rijden zonder rijbewijs, goedkope wijn verkopen met een vals etiket... Hoe het precies allemaal begonnen is, weet ik niet; ik was toen natuurlijk nog niet geboren. Mijn zus Nina heeft altijd verteld dat het mis begon te gaan nadat aan het eind van de jaren zestig onze vader in de gevangenis was gegooid. Hij was er ten onrechte van beschuldigd betrokken te zijn geweest bij een *fuitina*: een soort schaking van een meisje met haar stilzwijgende toestemming. Die kwamen vroeger op Sicilië voor. Het idee was dat het meisje, nadat ze ver van huis met de jongen in kwestie had gevreeën, om haar eer te redden van haar familie toestemming kreeg met hem te trouwen. Soms was dat de enige oplossing voor twee jonge mensen die, terwijl hun families zich verzetten tegen hun verbintenis, op elkaar verliefd waren. Die families kwamen dan voor een voldongen feit te staan. Als Nina me dit soort verhalen vertelde, meestal in de keuken, op fluistertoon, leken het me dingen die heel ver van ons vandaan stonden, die eigenlijk niet echt konden bestaan. Maar later zou blijken hoezeer ik me daarin vergiste.

In het geval van papa was het nog ernstiger, want het meisje was niet meegenomen door hemzelf, maar door zijn broer. De mensen dachten dat papa zijn broer daarbij had geholpen. Mijn vader had er helemaal niets mee te maken, maar het was natuurlijk ondenkbaar dat hij zijn eigen broer zou verraden of voor de rechtbank de vuile was van de familie zou buitenhangen. Het enige wat hij gedaan had, was proberen zijn broer ertoe te zetten dat meisje te vergeten – meer niet. En ik kan me trouwens ook absoluut niet voorstellen dat papa dat soort dingen zou doen. Pas na vier jaar heeft dat meisje besloten om te vertellen hoe alles echt gegaan was, waarmee de onschuld van mijn vader bewezen werd. En al die tijd zat hij dus in de gevangenis.

Door een noodlottig toeval kwam tijdens die detentieperiode van mijn vader ook mijn moeder in de gevangenis terecht, en ook weer ten gevolge van een justitiële dwaling. Ze heeft er maar drie maanden hoeven blijven, maar toen ze eruit kwam, had ze hepatitis opgelopen, waar ze een halfjaar heel ziek door is geweest. Mijn arme zus Nina, die toen nog maar zeven jaar was, moest voor het huis en het hele gezin zorgen. Ze ging van school af, en is er nooit meer naar teruggegaan. Onze grootouders – zachtaardige, fatsoenlijke mensen – probeerden een beetje te helpen, maar wat moesten die aanvangen met Nardo, Michele en Vito? Mijn broers waren woest over wat er met onze vader was gebeurd. Op alles en iedereen waren ze kwaad: op de staat, op de smerissen, op het hele waardeloze leven... Juist op het meest kritieke moment van hun puberteit was de leiding van hun vader weggevallen. Toen hij uit de gevangenis kwam, waren ze al min of meer volwassen mannen geworden en dopten ze hun eigen boontjes. Nardo was toen negentien, en luisterde niet eens meer naar hem – als hij dat ooit al had gedaan. Alle drie waren ze erg recalcitrant geworden en maakten ze vaak ruzie met hem, waarbij ze hem zelfs af en toe sloegen. Doordat ze naam hadden gekregen via hun aanvaringen met justitie, hadden ze ook figuren van Cosa Nostra leren kennen. Antonino 'Nenè' Gerace, bijvoorbeeld, die in de vroege jaren zeventig de maffiabaas van Partinico was en zich had gelieerd met de bende van Corleone. Het leven van een maffioso trok mijn broers veel meer aan dan dat van een boer die de hele dag zwetend op het land loopt te zwoegen. Zo ontstond de 'Fardazza-clan', die zich meteen een plaats veroverde in de top van de beroemdste misdaadorganisatie ter wereld. En in het centrum van dit alles bevond zich mama, die voor Nardo, Michele en Vito tot alles bereid was, wat geldt voor zoveel Siciliaanse moeders die voor hun zoons die crimineel of zelfs moordenaar zijn geworden het vuur uit hun sloffen lopen, op de uitkijk staan, leren hoe ze de geur van smerissen al van ver kunnen ruiken, en moeten kunnen omgaan met moeilijke juridische zaken. Uiteindelijk hebben die moeders alleen nog God om op te vertrouwen; met mensen is dat niet meer mogelijk.

En ook ónze mama liep het vuur uit haar sloffen, kon al van ver de geur van smerissen herkennen, ging te rade bij advocaten, was aanwezig bij rechtszaken en stuurde mijn broers in de gevangenis alles wat ze nodig hadden. Zonder te protesteren, zonder te klagen, en bovenal zonder ooit aan iemand hulp te vragen. Maar in stilte leed ze, en ik was me daarvan bewust. Dat lijden van haar was een donkere wolk die ook mij omgaf, en ik voelde me verantwoordelijk omdat het me niet lukte de pijn die ik in haar gezicht zag weg te nemen. Ik wist dat ze leed door toedoen van mijn broers, maar het kwam niet bij me op om hén als schuldigen te zien. Er moest iets buiten ons huis zijn, iets buiten ons gezin, dat ons kwaad wilde doen, en om daartegen te kunnen standhouden, moesten wij koste wat het kost één front vormen. Ook ik, al was ik dan nog maar een klein meisje, voelde dat ik iets moest doen voor Nardo, Michele en Vito – maar vooral voor mama. En daarom werd ik zo'n beetje haar schaduw. Altijd was ik bij haar en ging ik met haar mee: naar politiebureaus, naar advocatenkantoren en naar de gevangenis waar Nardo zat. School en ellende met justitie door mijn broers: dat is mijn leven geweest in mijn kinderjaren en vroege puberteit. En dan mijn zus Nina. Ook nu nog zie ik als ik aan ons gezin denk vooral Nina voor me. Want als er één echt het slachtoffer van mijn broers is geworden, is zij het.

Zo stil, gehoorzaam en inschikkelijk als ze was, is ze altijd een steunpilaar voor ons allemaal geweest, maar heel lang heb ik me dat nauwelijks gerealiseerd. Zij was de brave van ons twee. 'Neem een voorbeeld aan je zusje,' zeiden ze thuis tegen me als ik weer iets had uitgehaald of als ik, omdat ik zo graag wilde zijn als mijn broers, me net zo wild gedroeg als een kwajongen. En hoe meer problemen mijn broers kregen met justitie, des te veeleisender, geïrriteerder en hardvochtiger ze werden. Er waren wel meer mensen zoals wij in het dorp. We waren zeker niet de enigen die moesten uitkijken voor de politie en de carabinieri, of die familieleden in de gevangenis hadden. Maar als er bij anderen iets leuks gebeurde werd er feestgevierd; dan waren ze vrolijk en probeerden ze een normaal leven te leiden. Bij ons niet. De sfeer in huis was altijd gespannen en angstig, er werd bijna nooit gelachen. Vooral wij vrouwen zaten altijd binnen te wachten op de mannen, en nooit wisten we met welk humeur ze zouden thuiskomen. En o wee als ze thuiskwamen en iets niet meteen konden vinden of als de dingen niet helemaal waren gedaan zoals zij hadden gezegd. Nina, de oudste en braafste, was hun uitlaatklep: bij het minste of geringste sloegen ze haar. Michele heeft haar een keer een pak slaag gegeven alleen maar omdat ze een beetje mascara had opgedaan. Als mijn moeder de moed kon opbrengen om ertussen te komen om haar te beschermen, werd zij ook afgeblaft, zoals dat ook onze vader vaak was overkomen. Ook mama heeft wel eens klappen van ze gehad. Als mijn broers bijna thuiskwamen was Nina altijd zo bang dat ik haar meer dan eens heb aangetroffen in een hoekje van de keuken, waar ze dan stilletjes stond te huilen. Maar voor haar, en ook voor mij, was dat de normale situatie. Wij dachten dat onze broers alle recht hadden om moe en geïrriteerd te zijn nadat ze een dag hadden geploeterd op het land. Maar Nardo, Michele en Vito vonden het niet genoeg om ons alleen maar slecht te behandelen; ze wilden ook de volledige controle over onze levens.

In de eerste week van augustus zijn er in Partinico altijd dorpsfeesten en indertijd – of het nog zo is, weet ik niet – werden er dan ook paardenraces georganiseerd. Die zomer waren wij Vitales heel druk in de weer, niet alleen met het

dorpsfeest, waaraan natuurlijk onze paarden zouden mee-
doen, maar vooral met de voorbereidingen van Vito's bruiloft. Het was 1981; ik was negen en Nina negentien. Nina had
nooit iets gezegd over jongens, maar sinds enige tijd had ze
toch sympathie opgevat voor een lieve jongen die, als zoon
van onze nicht, eigenlijk ook nog familie van ons was. Hij
heette Piero en werkte bij een bakker. Bij het rondbrengen
van de bestellingen kwam hij wel eens bij ons langs om even
wat te babbelen met mijn zus, die, omdat ze altijd maar in
huis opgesloten zat, geen kans had om leeftijdgenoten te leren kennen. Met Piero had ze eerst kleine briefjes uitgewis-
seld – *pizzini* heten die bij ons op Sicilië – en een paar keer
in het geheim gebeld. Eigenlijk hadden ze aan de telefoon
verkering gekregen, nog voordat ze elkaar hadden gezien.
Thuis wist alleen mama ervan, en die liet het wel uit haar
hoofd om mijn broers er iets over te vertellen.

Maar toch moet Vito iets hebben aangevoeld, of misschien
had iemand hem iets ingefluisterd. Het was altijd een en al
roddel in ons dorp. Op een van die feestdagen was hij bezig
met de organisatie van de paardenrace en hielp hij bij het af-
zetten van het parcours. Toen zag hij Piero voorbijkomen.
Plotseling witheet van woede, sprong Vito boven op hem.
Piero kreeg niet eens de kans om zich te realiseren wat er gebeurde. Met zijn vuisten, voeten, knieën en hoofd sloeg en
schopte mijn broer er luid brullend op los. Piero probeerde
zich niet eens te verdedigen en zakte neer op het asfalt, in
een plas van zijn eigen bloed. Toen verloor hij het bewust-
zijn. Zelfs zijn schoenen was hij kwijtgeraakt. Maar voor Vito was dat nog niet genoeg. Hij ging Nardo halen en samen
gingen ze naar het nieuwe huis van Vito, het huis waar hij

na zijn bruiloft zou gaan wonen. Daar was Nina, die alles in orde aan het maken was voor de bezichtiging van de uitzet, zoals dat de gewoonte is op Sicilië. Rustig bleven de twee wachten tot ze klaar was met opruimen, waarna ze haar zonder omhaal te lijf gingen. Nina probeerde de slagen op een of andere manier af te weren, waarbij ze een vinger brak. Omdat ze nog steeds niet tevreden waren, gingen ze naar ons huis om mama te straffen omdat ze de verkering van Nina en Piero geheim had gehouden. Ook haar sloegen ze in elkaar, en ze braken zelfs haar neus. Daarna hebben ze Nina nog verplicht om tijdens de bezichtiging van de uitzet op Vito's bruiloft in al haar vernedering, met haar duidelijk zichtbare blauwe plekken en rode ogen, zwijgend midden in de kamer te staan, zodat alle bruiloftsgasten zouden begrijpen wat er met haar was gebeurd. Dat deden ze heel bewust, om haar te waarschuwen dat ze zoiets niet weer moest doen.

Ook ikzelf ben wel geslagen door mijn broers. Dat gebeurde om allerlei redenen: omdat ik naar buiten was gegaan zonder het eerst aan hen te vragen, of omdat ik bij het open raam stond om te zien wie er voorbijkwamen... Nardo heeft me een keer een schop tegen mijn billen gegeven waardoor ik drie dagen niet heb kunnen lopen. Vooral van Vito kreeg ik klappen, omdat ik tegen hem vaak brutaal was. Ik was veel minder onderdanig dan Nina, en bovendien had ik als klein meisje al begrepen dat niet hij de baas was, maar Nardo. Op een avond gingen we eten terwijl Vito en ik nog kwaad op elkaar waren. We hadden ruzie gehad en we bleven maar bekvechten. Vooral ik was niet te stoppen. Ik gaf hem steeds lik op stuk en uit dwarsheid weigerde ik te eten.

'Eten!' schreeuwde hij tegen me.

'Geen honger!'

'Eten!'

'Geen hónger!'

Vito nam geen halve maatregelen. Hij pakte me bij mijn nek, duwde mijn gezicht in het bord hete soep en hield me zo lang onder dat ik bijna stikte. Toen liet hij me los en beval opnieuw: 'En nou eten!'

En ik at. Op die manier aten wij vrouwen onze soep, en uiteindelijk dachten we nog dat hij lekker was ook. Maar de klappen waren moeilijker te verwerken. Nog steeds ben ik half doof door een draai om mijn oren van Vito waarbij er een van mijn trommelvliezen is gescheurd. Nina klaagde niet eens over die klappen. Ze huilde in haar eentje, of bij mij terwijl ik probeerde haar te troosten.

Eigenlijk heb ik pas goed begrepen wat Nina voor me betekende toen ze in 1986 trouwde en uit huis ging. Ze was toen al vierentwintig. Na wat er was gebeurd met Piero had ze lange tijd niet eens van een afstand naar een jongen durven kijken. Maar een vrouw uit het dorp, een vriendin van mama, kwam ons vertellen dat haar zoon geïnteresseerd was in Nina. Wij hadden hem wel al gezien, omdat hij vaak langs kwam rijden in een Alfa Romeo. Hij had rood haar en een klein snorretje. Wij dachten dat hij een carabiniere in burger was die ons huis in de gaten hield; Nardo werd in die periode namelijk gezocht en zat ergens ondergedoken. Het was dus geen smeris, de jongen was bouwvakker. Hij was net zo oud als mijn zus en – wat belangrijker was – hij was 'in orde', dat wil zeggen: hij kwam uit een 'goedgekeurde' familie, namelijk vrienden van de vrienden van Vito. Deze keer hadden mijn broers dus geen problemen met Nina's verkering. Ik juist wel.

Niet om die jongen zelf, maar omdat ik jaloers op haar was, en ook omdat ik het heel naar vond dat ze weg zou gaan. Ik ben zelfs een keer tegen mijn moeder uitgevaren omdat ze Nina en haar verloofde zonder toezicht in de huiskamer op de bank had achtergelaten terwijl zijzelf in de keuken bezig was.

De verloving heeft maar kort geduurd. Binnen negen maanden waren ze getrouwd, met de zegen van de familie Vitale. Gelukkig kwam Nina dicht bij ons te wonen en kwam ze nog vaak langs om een handje te helpen, ook al kreeg ze al snel twee kinderen, het tweede een jaar na het eerste.

Ik merkte hoezeer ik gehecht was aan Nina toen mijn eerste kind, Francesco, moest worden geboren. De hele zwangerschap lang was ik gewoon doorgegaan met paardrijden, en met scheuren op de motor. Ik was twintig jaar en wilde genieten van het leven. Aan de consequenties dacht ik absoluut niet. Als ik voor controle naar de gynaecoloog moest, geneerde ik me altijd vreselijk. Dat soort onderzoeken kende ik nog helemaal niet, en ik kon telkens wel door de grond zakken van schaamte. Altijd was Nina er dan om me te steunen en me dingen uit te leggen. Ik zat met allerlei vragen, maar ik was te preuts om daar met mama over te praten. Dus ging ik naar mijn zus, of naar buurvrouw Pina, met wie ik op vertrouwelijke voet stond. Haar vroeg ik wat er met me zou gebeuren, hoe ik zou merken dat het kindje eruit moest, wat ik dan zou moeten doen... Buurvrouw Pina was een vrouw van weinig woorden. Ze zei: 'Giuseppì, maak je niet druk. Als het moment daar is, merk je dat echt wel... Reken maar dat je dat merkt! Laat de natuur gewoon z'n werk doen en maak je verder geen zorgen...'

Het was augustus, het was negen uur 's avonds, en het was nog heel warm. Toen ik de eerste weeën kreeg, brachten ze me naar het ziekenhuis, maar daar wilde ik niet blijven. De dokters zeiden dat ik op het punt stond te bevallen, maar ik wilde absoluut niet blijven. Het was daar onaangenaam en ik vond de mensen niet aardig. Ik liet me weer naar huis brengen, naar mama. Maar thuis ging het ook niet goed met me. De pijn sloeg bij golven door me heen, en tussen de weeën door liep ik heen en weer als een roofdier in een kooi. Zo ging het een paar uur door, maar toen hield ik het echt niet meer. Ik liet me weer terugbrengen naar het ziekenhuis en vroeg aan de dokters om me onder verdoving te brengen, om wat dan ook te doen om die helse pijnen te stoppen. En daar, met al die dokters om me heen die me probeerden te kalmeren, vroeg ik om mijn zus Nina. Niet om mijn moeder dus, die dat achteraf heel erg vond. Zij zag dat als verraad. Later heb ik het geprobeerd goed te maken met haar. Ik zei dat ik het zo had gedaan omdat ik haar op haar oude dag niet wilde belasten met angst en zorgen. Dat was ook echt zo, maar dat neemt niet weg dat ik eigenlijk Nina als mijn moeder beschouwde. Ze was maar tien jaar ouder dan ik, maar zíj heeft me opgevoed. En toen in 1998 ook voor mij de problemen met justitie begonnen, heeft zij de zorg voor mijn kinderen op zich genomen.

Mama bleef natuurlijk altijd mama. Ik hield zielsveel van haar, en zij van mij. Maar ze stond ver van me af. Altijd had ze haast, altijd had ze zorgen. Het leek wel of ze alleen maar de moeder van mijn broers was. Voortdurend dartelde ik als een vlindertje om haar heen; de hele dag hing ik aan haar rokken, maar met haar hoofd was ze er nooit bij.

Toen ik vijf was, moest ik een keer van haar in huis blijven en wachten tot ze terug was. Ze moest naar een advocaat voor Michele en wilde me niet meenemen. Nina zou keurig binnen gebleven zijn. Ik niet. Zonder tegen iemand iets te zeggen glipte ik stiekem de deur uit en ging door de stegen van het dorp op weg naar het kantoor van de advocaat. Dat bevond zich in de wijk Du Lavu, die ik heel goed kende omdat die niet ver was van de wijk waarin wij woonden, Casa Santa. Maar mijn moeder was niet bij de advocaat, en dus zwierf ik verder door Partinico. Ik dacht dat ze dan misschien op het politiebureau was, of op bezoek in de gevangenis. Ik was helemaal niet bang om te verdwalen. Ik was alleen maar bang dat ik haar was kwijtgeraakt. Na vele uren lopen door het dorp kwam ik moe en bezweet bij het huis van mijn tante in de wijk 'u Pignu, heel ver van ons eigen huis.

Daar waren ze allemaal bij elkaar, al mijn familieleden. Mijn moeder huilde. Ze nam me in haar armen en begon me te bestoken met vragen: waarom ik was weggelopen, waar ik was geweest, bij wie ik was geweest, wie ik was tegengekomen. Ik zei gewoon de waarheid: dat er niets bijzonders was gebeurd, en dat niemand me kwaad had gedaan. Wat mij betreft had ik niets vreemds gedaan. Ik dacht er geen seconde aan dat een kind van vijf eigenlijk niet in haar eentje door het hele dorp hoort te zwerven. En bovendien was ik niet aan het idee gewend dat ík gevaar zou kunnen lopen. Gevaar liepen altijd alleen mijn broers, over wie iedereen voortdurend in angst zat.

Ik leefde – wíj leefden – met de constante nachtmerrie dat hun iets zou overkomen, dat ze gewond zouden raken, dat ze gearresteerd of gedood zouden worden. Dat ze niet meer naar huis terug zouden komen. Overal zagen we gevaar. Al heel vroeg heb ik geleerd om altijd goed om me heen te kijken, om 'op instinct' een smeris in burger te herkennen, om iedereen te wantrouwen, om te weten – zonder dat me iets werd gezegd – wanneer ik mijn mond moest houden en wanneer ik kon praten, hoe ik me moest bewegen, hoe ik alles wat er gebeurde, ook de kleinste dingen, moest interpreteren...

En dan was er dat vreselijke gevoel dat je door iedereen in de gaten werd gehouden. Ik voelde dat er naar me gekeken werd alleen maar omdat ik een Vitale was en dat, als er een van ons langsliep, de mensen voortdurend fluisterden. Begluurd voelde ik me, altijd maar bespioneerd iedere keer dat ik het huis uit ging, als ik op straat liep, als ik in een winkel of in de kerk was.

Door al die dingen had ik het idee dat ik anders was dan de rest van de kinderen. Ik herinner me bijvoorbeeld een ochtend op school, die heel gewoon begon. Ik zat in de tweede klas en we zaten aan onze tafeltjes. De school was in de straat waar ook ons huis stond, aan het eind van de Via Nullo, op de hoek met de Via Principe Umberto, vlak bij het pleintje van de Casa Santa-wijk. Daar parkeerden mijn broers altijd hun auto's en daarom kwamen ze er vaak. Tijdens de les hoorden we op een gegeven moment heel duidelijk geweerschoten. Iedereen, de kinderen en de juf, rende naar het raam, nieuwsgierig en bang tegelijkertijd. Een paar van mijn klasgenootjes stonden zelfs te lachen. Die waren duidelijk content me dit welkome verzetje tijdens een saaie les.

Alleen ik bleef zwijgend en bewegingloos op mijn stoeltje zitten. Ik was bang dat mijn broers betrokken waren bij die schietpartij en durfde niemand iets te vragen. Zonder me te verroeren liet ik de eindeloos lijkende minuten voorbijgaan, tot het uiteindelijk weer rustig werd in de klas. Toen kwam de juf naar me toe. Ze pakte me bij mijn hand en nam me mee naar de gang. Die juf was een oude vriendin van mijn moeder, en misschien had ik daarom bij haar een streepje voor. Op school was ik trouwens niet zo wild als thuis. Ik was daar rustig, stoorde nooit iemand en was altijd een beetje treurig. De juf begreep hoe ik me voelde, omdat zij zelf een broer had die in het verleden problemen met justitie had gehad. Vaak aaide ze even over mijn haar, of zei ze iets troostends of bemoedigends tegen me. Die keer zei ze: 'Kom, Giuseppì, ga maar mee met juf.'

'Wat is er dan?' vroeg ik.

'Pak je rugzakje en je schooltasje, want je gaat naar huis.'

Ze pakte me weer bij mijn hand.

'Wat is er dan gebeurd?' vroeg ik weer.

'Niks... niks. Kom mee, dan breng ik je naar huis.'

Thuis waren mama en Nina huilend druk bezig met opruimen. De carabinieri waren net weggegaan. Ze hadden ons huis doorzocht en alles overhoop gehaald, omdat ze Nardo moesten hebben.

Kort daarvoor hadden de carabinieri op het pleintje een controle gehouden. Mijn broer moest daar met zijn vrachtauto langs en was herkend door een van de politiemensen, die naar hem had gebaard dat hij moest stoppen. Nardo had geen seconde langer nagedacht en de auto midden op straat stilgezet. Hij was eruit gesprongen en op de vlucht geslagen.

De carabinieri hadden hem op de hielen gezeten en ook een paar schoten op hem afgevuurd. Dat waren de schoten die wij in de klas hadden gehoord. Hij had zich er niets van aangetrokken en was verder gevlucht. Uiteindelijk had hij zich verborgen in een garage. Daar had hij zich stil gehouden terwijl zijn achtervolgers doorliepen. Zo was hij ze kwijtgeraakt. Maar wij wisten niet of hij geraakt was, of hij gewond was, of hij in levensgevaar was. We konden niets doen. Mama, Nina en ik zaten de hele verdere dag in angst. Ik had het heel moeilijk. Het idee dat er iets met Nardo gebeurd zou kunnen zijn bezorgde me een afschuwelijk leeg gevoel, een onzegbare fysieke en psychische pijn, net zo verschrikkelijk als een nachtmerrie.

Toen het avond was geworden, liet Nardo ons eindelijk roepen. Hij bevond zich op het land bij Val Guarnera, dicht bij de Jato-dijk. Daar hadden mijn broers een paar stukken terrein gekocht, waarop ze stallen en een kaasmakerij hadden gebouwd. Het is een nogal afgelegen gebied, aan een weggetje dat van Partinico naar San Giuseppe Jato voert, maar dat ook te bereiken is vanaf de weg naar Alcamo. Mama, Nina en ik haastten ons naar Nardo toe. Eindelijk konden we hem weer in onze armen sluiten. Hij bleek niets te mankeren en tilde me meteen op. Lachend vroeg hij me: 'Was je bang? Was je bang omdat je dacht dat ik dood was, of gewond?'

Natuurlijk was ik doodsbang geweest, maar ik jokte schaamteloos dat ik maar een héél klein beetje bang was geweest. Eindelijk was ik bevrijd van de paniek en het verscheurende lijden die me de hele dag hadden gekweld. Ook mama en Nina slaakten een zucht van verlichting. Al wisten we natuurlijk dat onze vreugde maar van korte duur zou zijn. Als dit soort dingen gebeurden, vormden wij, de vrouwen in huis, een aaneengesloten front, dan hadden we samen één hart, en één hoofd.

Toen ik in 2005 met justitie ben gaan samenwerken, heeft het me veel verdriet gedaan toen ik in de krant las dat mijn moeder me had verstoten, dat ze tegen iedereen zei dat ze haar hele huis in rouwtooi zou gaan hullen. Ze was – of ze was wéér – alleen de moeder van mijn broers.

DE KOEIENMELKERS

Als de mensen in het dorp ons niet 'de Fardazza-clan' durfden te noemen, waren we 'de koeienmelkers' voor ze. Natuurlijk is er niets tegen het houden van vee, van schapen, van koeien. Maar later... altijd maar later... heb ik daar toch meer over nagedacht. Toen ik klein was heb ik een keer aan Nardo gevraagd – die had toen al in de gevangenis gezeten – hoe hij en mijn andere broers ooit begonnen zijn in de misdaad. Ik heb hem niet gevraagd of ze maffiosi waren, want de woorden 'maffia' en 'maffioso' werden in ons huis nooit uitgesproken. Nardo antwoordde toen op een nogal verwarde en ontwijkende manier. Hij zei dat op een bepaald punt in hun leven zij zich op een omhooggaande weg bevonden, een weg vol gevaren en arrogante, hardvochtige mensen, die over anderen de baas wilden spelen. Op die weg, waar het recht van de sterkste heerste, was geen plaats voor zwakkelingen. Zij drieën kwamen bij een splitsing: wegvluchten uit hun dorp om niet te worden vermoord, of zich aansluiten bij Cosa Nostra en hun vijanden keihard bestrijden. De keuze die ze toen gemaakt hebben, is inmiddels justitiële geschiedenis... ónze geschiedenis. Maar ik geloof dat het feit dat wij 'koeienmelkers' waren toch van belang is geweest. Thuis werd er niet over gesproken, maar tussen de vele rechtszaken door, ben ik wel gaan lezen over de maffia, en heb ik begrepen dat wij Vitales in de misdaad 'carrière' hebben moeten maken in een heel bijzondere periode. In de jaren zeventig en begin jaren tachtig stonden de zaken er zo voor binnen Cosa Nostra dat wij heel veel heel snel hebben moeten ondernemen, en 'zonder medelijden te hebben', zoals Nardo altijd tegen me zei.

Ik herinner me ons leven van toen als een echt boerenleven: moestuinen, stallen, koeien, paarden. Ik vond dat toen de mooiste wereld die je je kon voorstellen en ik wist niet dat hij zou gaan verdwijnen. Wij hadden niets te klagen en het ontbrak ons aan niets, maar onze wereld leek op die van de Corleonezen, van de 'boeren met modder aan hun poten', die juist in die jaren hun aanval op Cosa Nostra hadden ingezet. Je kon niet echt iemand worden als je tussen de dieren op het land bleef zitten, ver van Palermo. De Corleonezen hadden de zwendel met vee, waarmee ze waren begonnen, al achter zich gelaten. Met het stelen en illegaal slachten van koeien en varkens kwam het grote geld niet binnenstromen. Daarmee was je niemand. Om Palermo te veroveren, om miljoenen te gaan verdienen met heroïne en zwendel met grote bouwprojecten, hadden ze zich in eerste instantie aangeboden als huurmoordenaars, en waren ze geïnfiltreerd in alle maffiafamilies van Sicilië. Overal hadden ze vrienden gemaakt en ze waren vastbesloten om alle anderen aan zich te onderwerpen, de hele oude garde: de Bontades, de Badalamenti's, de Spatola's, de Inzerillo's, de Di Cristina's, de Calderones. Het was zij tegen alle anderen.

In de tijd daarvoor waren de oorlogen binnen Cosa Nostra altijd oorlogen tussen bepaalde families: je hoorde bij de ene of bij de andere. Elk hoofd van een familie, elke maffia-baas, kende behalve zijn eigen bendeleden ook die van de andere families. Met de Corleonezen was dat niet meer mogelijk. Ze rekruteerden in het geheim nieuwe bendeleden, zonder iets te zeggen tegen hoofden van andere families. In je gezicht zeiden ze het een, achter je rug deden ze het ander. Ze vermoordden mensen zonder eerst toestemming te vragen aan de Commissie, en ook zonder toestemming te vragen aan de hoofden van de families waarvan hun slachtoffers lid waren. Dus dachten de andere families dan dat zo'n hoofd het ermee eens was dat er in zijn bende iemand werd vermoord, dat hij toestemming had gegeven, terwijl hij er juist helemaal niets van wist. En dan moest zo'n familiehoofd zich in allerlei bochten wringen om de andere hoofden ervan te overtuigen dat hij geen verantwoordelijkheid droeg voor wat er was gebeurd. En die anderen geloofden hem meestal niet, verdachten hem van verraad, van dubbelspel... Kortom, de harmonie was zoek binnen Cosa Nostra. Maar de Corleonezen gingen nog veel verder. Zij waren de eerste maffiosi die met de driestheid van een stier de Italiaanse staat hebben durven aanvallen.

Een jaar voor ik werd geboren, op 5 mei 1971, was Pietro Scaglione vermoord, een officier van justitie. Het gebeurde in Palermo, in de Via dei Cipressi, een straat in de wijk Danissinni, die hoorde bij het territorium van de door Pippo Calò geleide clan van Porta Nuova. Ook Tommaso Buscetta maakte daarvan deel uit. Pippo Calò hadden de Corleonezen nog gewaarschuwd zich voor te bereiden op de gevolgen van hun daad, maar de andere bazen in de Commissie – behalve dan 'de paus', Michele Greco – wisten van niets.

Tano Badalamenti en Stefano Bontade, die 'de prins van Villagrazia' werd genoemd en hoofd was van de grootste clan van Palermo, zaten op dat moment allebei in de Ucciardone-gevangenis. Daar hoorden ze al snel hoe de zaak in elkaar zat: achter de moord op Scaglione zaten Luciano Liggio, Totò Riina en Bernardo 'de Tractor' Provenzano. In de gevangenis kregen ze zelfs het detail te horen dat op het moment van 'het moordje' Liggio zich niet lekker voelde, en dat hij daarom maar vanaf zijn autostoel had geschoten. Moeilijker was het te begrijpen waaróm ze het hadden gedaan. De moord veroorzaakte een enorme schok op Sicilië, groter dan zich tot dan toe had voorgedaan, en alle clans zouden de gevolgen ervan gaan ondervinden. Vooral de clans van Palermo, die meer te verliezen hadden dan alle andere op het eiland bij elkaar en die, omdat ze de heroïnehandel met Amerika onder hun gezag hadden, het meest van alle gebaat waren bij een toestand van rust en vrede.

Pippo Calò werd na dit alles nog invloedrijker dan hij al was. Maar het werkelijke probleem was een ander: binnen de Commissie, die niets meer leek voor te stellen, moest de orde hersteld worden.

Na de eerste maffiaoorlog, die was geëindigd met het bloedbad in de Viale Lazio op 10 december 1969 dat het leven kostte aan de gangster Michele Cavataio, bijgenaamd 'de Cobra', was, gelijk met Tano Badalamenti en Stefano Bontade, Corleonees Luciano Liggio toegetreden tot de Commissie. Maar als de clanhoofden bijeenkwamen in het landhuis Favarella van Michele Greco, werd Liggio vaak vertegenwoordigd door Totò Riina. Na de moord op Scaglione kreeg Liggio van de andere leden van de Commissie te horen dat hij zich een beetje moest inhouden, dat hij moest afblijven van staatsfunctionarissen, en dat hij moest stoppen met ontvoeringen op Sicilië. Die moesten ze maar in Noord-Italië doen, niet op Sicilië. De Corleonezen waren namelijk begonnen kinderen te ontvoeren van grote Palermitaanse ondernemers, zoals Ciccio Vassallo. Het losgeld gebruikten ze om zich een plaats te verwerven in grote bouwprojecten en in de heroïnehandel. Die investeringen waren niet het probleem – met dat soort zaken bemoeide de Commissie zich niet –, het probleem waren de smerissen: na elke ontvoering kwamen er weer meer politiemensen naar Sicilië, en dat was natuurlijk voor iedereen een slechte zaak. Maar er was nog iets. Met het geld van de ontvoeringen kochten de Corleonezen bendeleden van andere clans weg. Soms kochten ze zelfs hele families, de armste in Palermo en andere steden, die, net als de 'boeren' zelf, buiten de bouwprojecten en de heroïnehandel stonden en moesten leven van de kruimels die de hoge heren binnen de maffia lieten vallen. Het was een soort omsingelingstactiek waarmee de Corleonezen bezig waren. In het begin kon Riina in Palermo alleen maar rekenen op Ciccio Madonia, Ciancimino, Pippo Calò en Michele Greco.

Liggio en Riina stopten overigens niet met hun ontvoeringen, maar wel hebben ze voor een tijdje hun activiteiten meer naar het noorden verlegd. In 1973 ontvoerden ze in Rome Paul Getty, kleinzoon van een van de rijkste mannen ter wereld. Toen het erop leek dat de familie weigerde te betalen, stuurden de ontvoerders, om te laten zien dat het ze menens was, een oor van de jongen op. Zo heeft, zoals wordt beweerd, Giuseppe Di Cristina het verteld aan de carabinieri toen hij met ze was gaan praten in de hoop dat de carabinieri Riina zouden weten te pakken of te doden. Riina leefde toen al vijftien jaar ondergedoken, omdat hij werd gezocht door justitie. Maar Liggio en Riina hadden zich voorgenomen de Palermitaanse maffiosi, die hen als beesten zagen, te pakken te nemen, en de betrekkelijke rust duurde dan ook niet lang. Tano Badalamenti bezorgden de Corleonezen bijvoorbeeld grote problemen door te verlangen dat de uitwisseling van losgeld en gijzelaar van een van de ontvoeringen in het noorden zou plaatsvinden bij Cinisi, op het territorium van de Badalamenti-clan, waardoor die een hele golf politie over zich heen kreeg. Met Bontade waren ze nog wreder en geraffineerder.

Liggio was in 1974 gearresteerd. Dat was het jaar dat Riina, die nog steeds voortvluchtig was, trouwde met Ninetta Bagarella. In 1975 liet Riina – bijgenaamd '*u curtu*, 'de Korte' – Luigi Corleo ontvoeren. Corleo was de schoonvader van Nino Salvo, die samen met zijn neef Ignazio Salvo op Sicilië de leiding had over de belastinginning voor de staat. Maar Nino Salvo was veel meer... Nino Salvo, bijgenaamd 'de Onderkoning', maakte deel uit van de clan van het stadje Salemi, bij Trapani, die hecht verbonden was met de familie Bontade, eerst met vader Paolino Bontade, en later met zoon Stefano Bontade. Maar bovenal was Nino Salvo een vriend van Salvo Lima, voormalig burgemeester van Palermo en leider van de Andreotti-groepering binnen de christendemocratische partij Democrazia Cristiana op Sicilië. Op zijn beurt was Salvo Lima weer goed bevriend met Vito Ciancimino, ook een voormalig burgemeester van Palermo, die altijd tot de 'onderdanen' van Totò Riina heeft behoord. Die twee, Lima en Ciancimino, zaten achter de enorme zwendel met bouwprojecten in de jaren zestig, waardoor grote schade is toegebracht aan de historische binnenstad van Palermo. Niet alleen is Luigi Corleo niet vrijgelaten, hij is zelfs vermoord, en zijn lichaam is nooit gevonden. Een klassieke maffiaverdwijning, maar vooral een klap in het gezicht van de Bontade-clan, en eigenlijk in dat van alle maffiosi die ertoe deden in Palermo.

En ook de 'zaak-Russo' was een belediging aan het adres van de Bontades. Giuseppe of Ninnì Russo was een luitenant-kolonel van de carabinieri. Op 20 augustus 1977 werd hij samen met een vriend van hem vermoord toen hij over het pleintje liep van het gehucht Ficuzza, dicht bij Corleone. Ook die keer was de Commissie niet op de hoogte gebracht, maar Michele Greco, 'de paus', wist het wel. Stefano Bontade was niet alleen daarover kwaad, maar meer nog omdat luitenant Russo in die periode verlof had opgenomen om op eigen gelegenheid onderzoek te kunnen doen naar de ontvoering van Luigi Corleo. Zoals de Palermitaanse krant *L'Ora* heeft geschreven, had Russo alles begrepen. In zijn onderzoek betrok hij niet alleen de achtergrond van het betaalde losgeld, maar ook zocht hij uit hoe de zaken waren verlopen rond de vele miljoenen die Sicilië had ontvangen na de aardbeving in Belice in 1968, en rond het geld dat het eiland was toegewezen voor de aanleg van de autoweg Palermo-Mazara De Vallo, en voor de bouw van de Garcia-dijk. Daarvoor moest land worden onteigend, en mochten bouwopdrachten worden verstrekt. In de Belice-vallei had Riina inmiddels alle macht in handen. Bouwopdrachten, grote en kleinere, liepen allemaal via hem, en wie ze toegewezen kreeg, moest aan hem steekpenningen betalen. Maar hij had zijn gebied ook uitgebreid in de richting van Caltanissetta, waar hij Francesco Madonia, die aan de stoelpoten zaagde van Giuseppe Di Cristina, aan zijn kant had gekregen. En in Catania had Riina een basis via een alliantie met Nitto 'de Jager' Santapaolo, waardoor hij zich teweer kon stellen tegen de oude Pippo Calderone, 'het Zilveren Keeltje'. In Trapani had hij Totò Minore, en in Agrigento had hij zich verbonden met de Ferro-clan. Het was inmiddels een heel spinnenweb en Russo had begrepen hoe de Corleonezen bezig waren om heel Sicilië in te nemen; hij kon dus niet blijven leven. Naar de dood van Russo is een onderzoek gestart door Boris Giuliano, een politieman die zijn opleiding in Amerika had genoten en die op 21 juli 1979 op zijn beurt is vermoord door Leoluca Bagarella, de zwager van Totò Riina.

Leoluca Bagarella heb ik gekend. Het was een van de meest gewetenloze en efficiënte huurmoordenaars van de Corleonezen. Voor ons Vitales was híj het gezicht van Cosa Nostra, hij en Giovanni Brusca uit San Giuseppe Jato. De maffia is door journalisten vaak aangeduid als een parasiet, als een gezwel dat van binnenuit eerst Sicilië leegvreet, en daarna het hele Italiaanse staatsbestel. Nou, dan waren de Corleonezen een gezwel dat gegroeid is binnen de maffia, en dat daarna is doorgewoekerd in dat staatsbestel. Ze schoten er eerst op los, en dachten dan pas na. De Palermitanen waren daarentegen gewend om eerst goed na te denken alvorens te schieten. Om telkens de situatie onder controle te houden en niet de overheid en de smerissen over zich heen te krijgen, zodat het gedaan zou zijn met de inkomsten, woog de Commissie alle risico's en consequenties altijd heel goed af. Wij, de 'Fardazza's', waren een van de clans uit de provincie die de

Corleonezen hadden gerekruteerd om Cosa Nostra te kunnen aanvallen en de zaken over te nemen. En wij gebruikten de methodes die ook de Corleonezen gebruikten. Ik weet niet of de maffia waarover Tommaso Buscetta heeft verteld aan onderzoeksrechter Giovanni Falcone ooit echt heeft bestaan – de maffia dus waarin persoonlijke eer belangrijk was, en trouw aan de familie. De maffia die ik heb gekend was absoluut 'zonder medelijden', en als mijn broers bij Cosa Nostra wilden horen, als ze gunstig wilden opvallen bij de Corleonezen, die aan de winnende hand waren, hadden ze geen alternatief.

Dat zeg ik niet om ze vrij te pleiten, het was gewoon de werkelijkheid. Ik ben opgegroeid in de jaren van 'de grote waanzin', de jaren waarin de Palermitanen geheel en al zijn weggevaagd uit Cosa Nostra en de Corleonezen alles hebben overgenomen – of liever: waarin *zu Totò 'u curtu*, Totò 'de Korte' Riina, alles heeft overgenomen. Met Riina was geen discussie mogelijk: je had gewoon te gehoorzamen. En van die waanzin zijn we allemaal getuige geweest. In de jaren tachtig, de periode dat onze Fardazza-clan sterker aan het worden was, zijn er meer dan duizend mensen vermoord. Ik zeg duizend, omdat er duizend lijken zijn gevonden. Maar daarnaast zijn er nog de dode lichamen die volledig zijn verdwenen omdat ze in zoutzuur zijn gegooid en helemaal zijn opgelost, lichamen die zijn verbrand, lichamen die in diepe putten zijn terechtgekomen, of in betonnen heipalen waarop nu viaducten of flatgebouwen steunen... Die lichamen kúnnen niet meer worden meegeteld.

Wat de oude garde van de maffia betreft: na de moorden op Giuseppe Di Cristina en Pippo Calderone in 1978 gaf Riina in 1981 Pino Greco, bijgenaamd *Scarpuzzedda*, oftewel 'Oud Schoentje', de opdracht om Stefano Bontade, de 'prins van Villagrazia', uit de weg te ruimen, en ook zijn grote vriend Totuccio Inzerillo van de Passo di Rigano-clan. Van Inzerillo zijn in totaal eenentwintig familieleden vermoord: broers, kinderen en neven. De Cosa Nostra van de 'boeren' wist ze ook te vinden in Amerika, waar een aantal van hen naartoe was gevlucht. Ook veel Bontades, Badalamenti's en Spatola's – families die inmiddels de verliezers waren – sloegen op de vlucht. Bijna al die familie- en bendeleden zijn vermoord. Een geval apart was don Masino, oftewel Tommaso Buscetta, die naar Brazilië was uitgeweken. Ook al maakte hij deel uit van de Porta Nuova-clan van Pippo Calò, hij was niet, zoals Calò zelf, geallieerd met Riina, maar juist met de Salvo's en de Bontades, omdat hij de Corleonezen als *malacarni*, als tuig, beschouwde. Van Buscetta zijn zes familieleden vermoord, en dat is voor hem de voornaamste reden geweest om, na een mislukte zelfmoordpoging, een 'smerige verrader' te worden en alles wat hij wist te vertellen aan onderzoeksrechter Giovanni Falcone.

Buscetta was niet meer dan een vriend van 'prins' Stefano Bontade, maar Salvatore of Totuccio Contorno was echt een van Bontades 'soldaten' geweest, een van de bendeleden die zonder veel problemen hun pistool trokken en schoten. Van Contorno zijn vijfendertig familieleden vermoord, en voor hemzelf was in 1981 in Palermo ook een hinderlaag opgezet, maar op wonderbaarlijke wijze wist hij het er levend af te brengen. Ook hij is, toen hij had gehoord dat Buscetta dat al deed, gaan meewerken met onderzoeksrechter Falcone.

Ook aan de andere kant, aan de kant van de smerissen, zoals wij ze noemden, of aan die van de gewone mensen die de moed hadden om Cosa Nostra aan te klagen, is de lijst met slachtoffers huiveringwekkend. Na Scaglione, Russo en Boris was in 1979 de beurt aan rechter-commissaris Cesare Terranova, en samen met hem aan maarschalk Lenin Mancuso van de carabinieri; in 1980 aan de president van de regio Sicilië, de christendemocraat Piersanti Mattarella, en aan de Palermitaanse hoofdofficier van justitie Gaetano Costa; in 1982 aan het parlementslid van de Communistische Partij Pio La Torre, die maffialeden volledig wilde 'strippen' van hun bezittingen, en aan – samen met zijn vrouw en de politieagent Domenico Russo – generaal Carlo Alberto Dalla Chiesa; in 1983 aan vervangend hoofdofficier van justitie Giangiacomo Ciaccio Montalto en aan Rocco Chinnici, rechter van instructie bij het gerechtshof van Palermo; in 1988 aan Antonino Saetta, rechter bij het maxiproces tegen de maffia, samen met zijn zoon Stefano; in 1990 aan officier van justitie Rosario Livantino; in 1991 aan officier van justitie Antonino Scopelliti; in 1992... Nee, met 1992, het jaar van de grote aanslag in Capaci en de moorden op onderzoeksrechters Falcone en Borsellino, wil ik nog even wachten. Dat was namelijk ook voor ons Vitales een heel belangrijk jaar.

DE MODDERPOEL

Tot dan toe was in Partinico Nenè Geraci altijd de hoogste maffiabaas geweest. Geraci heeft vanaf het begin bij de 'boeren' gehoord, omdat hij een vriend was van de Brusca's uit het dorp San Giuseppe Jato. Onze tijd kwam pas later... Nardo en Vito zijn de hele jaren tachtig zeer actief geweest. Ze gingen gevangenis in en uit, en beiden werden gerekruteerd door hun grote vriend Giovanni Brusca.

Er is inmiddels veel bekend over hoe een nieuw lid van Cosa Nostra werd gerekruteerd, en wat erover gezegd wordt, komt min of meer overeen met hoe ik het me herinner. In eerste instantie moet hij 'betrouwbaar' zijn. Hij mag geen politiemensen, carabinieri of justitiemedewerkers in zijn familie hebben, en verder moet hij iemand hebben vermoord, of in elk geval duidelijk blijk hebben gegeven van zijn moed en vaardigheid. Hij moet de organisatie worden binnengebracht door een 'man van eer', een ervaren en gerespecteerde maffioso. Deze staat garant voor de jongen, heeft over zijn petekind informatie ingewonnen en moet verantwoording over hem afleggen bij de andere maffiosi.

Vóór de inwijdingsceremonie krijgt de jongen de regels te horen: trouw zijn aan Cosa Nostra, de organisatie nooit verraden, wat er ook gebeurt, ook niet als hij in de gevangenis terechtkomt. Hij mag nooit actief zijn buiten het eigen gebied – dat wil zeggen, hij mag geen misdaden plegen buiten het territorium van zijn eigen clan zonder zijn baas daarin te betrekken en die om toestemming te vragen. Hij moet zijn vrouw respecteren, hij mag haar nooit ontrouw zijn met een andere vrouw – ook niet met een *buttana*, een hoer. Hij mag geen gekke dingen uithalen met de vrouwen van andere maffiosi, en hij mag nooit scheiden.

Het is bepaald niet zo dat maffiosi geen minnaressen hebben… Riina noemde Buscetta minachtend '*u fimminaro*, 'de rokkenjager', omdat hij altijd achter de vrouwen aan zat en drie keer is getrouwd. En hoevelen zijn er niet vermoord doordat de andere maffiosi wisten waar hun minnares woonde, en de huurmoordenaar, zeker dat hij ze daar zou vinden, ze bij haar huis ging opwachten? In Cosa Nostra is het zo dat als je een minnares hebt, niemand het mag weten, zeker je vrouw niet. De vrouwen geven de mannen rugdekking. Ook al zijn ze niet op de hoogte van ál hun zaken, ze weten altijd wat de mannen aan het doen zijn, met wie ze omgaan, waar het geld in huis vandaan is gekomen. Als ze ontdekken dat ze zijn bedrogen, zouden ze wraak kunnen nemen door de carabinieri alles te vertellen wat ze weten over Cosa Nostra. Daarom moeten vrouwen altijd worden gerespecteerd. Cosa Nostra wil geen vrouwen in dienst hebben, vrouwen worden niet gerekruteerd, maar zonder vrouwen zou de maffia niet bestaan. En ik kan daarover meepraten…

Soms heb ik me afgevraagd of mijn broers tegen mama, Nina en mij zo gewelddadig en tiranniek waren omdat ze zo'n karakter hadden of omdat ze maffiosi waren. Ik ben nooit tot een conclusie gekomen. Natuurlijk, als de vrouwen zo belangrijk zijn voor Cosa Nostra, is het logisch dat de maffiosi er alles aan doen om ze onder de duim te houden. Vrouwen zijn heel geschikt als medeplichtige; vrouwen moeten leven alléén voor de maffiosi, voor hen rennen en vliegen, hun een veilige thuishaven bieden, kinderen voor hen op de wereld zetten en die opvoeden met een maffiamentaliteit; ze moeten klappen incasseren en daarover niet klagen; ze moeten de geheimen bewaren van de maffiosi, en als hun mannen in de gevangenis terechtkomen, moeten ze hen troosten door hun te laten weten dat er iemand is die van ze houdt en die ze nooit zal vergeten. Maar vrouwen moeten wel altijd stil in hun hoekje blijven. Het mag natuurlijk nooit gebeuren dat zo'n vrouw per ongeluk ontdekt dat ze zélf iets zou kunnen presteren in haar leven... Maar we hadden het over de inwijdingsceremonie.

De 'peetvader' van de jongen die zich bij Cosa Nostra wil voegen, prikt een wondje in diens vinger. Dat doet hij met een speld, of met een naald van een pomeransboom. Dan moet er een druppel bloed vallen op de *santina*, het plaatje van een heilige dat de jongen in zijn hand heeft, en dat dan in brand wordt gestoken. Dan moet de jongen zeggen: 'Moge mijn vlees branden zoals deze santina als ik niet trouw blijf aan mijn eed.'

Vanaf dat moment is hij voor de rest van zijn leven een maffioso. Ook Giovanni Falcone heeft er in zijn boek over geschreven: 'Je aansluiten bij de maffia is te vergelijken met eem kerkelijke wijding. Priester blijf je je hele leven, en maffioso ook.'

En de vrouwen van de maffiosi?

Ik heb alles moeten leren door goed om me heen te kijken. Voor vrouwen bestaan er geen inwijdingsceremonies. Als ze maffiosi in huis hebben, is eigenlijk hun hele leven één lange inwijdingsceremonie. Ze moeten alles begrijpen zonder ooit iets te vragen; ze moeten beschikbaar zijn en aan de slag gaan zonder precies te weten waarvoor; ze moeten, als bij een mozaïek, veel stukjes in elkaar passen, om zich een idee te vormen van wat er gebeurt. Ik zag Nardo en Vito altijd maar druk in de weer. Ook als ze moesten onderduiken omdat ze gezocht werden, en ook in de gevangenis. En ik liet het gewoon over me heen komen; we lieten het ook gewoon over ons heen komen als ze in de gevangenis zaten.

Ik weet nog goed hoe we elke dinsdag en donderdag Nardo gingen bezoeken in de gevangenis. Het werd een soort wedstrijd met de familieleden van andere gedetineerden: wie bracht het meeste lekkers en de meeste cadeaus mee? Wij hadden altijd ontzettend veel eten bij ons, zeker op feestdagen. Hele zalmen, Siciliaanse cassata en andere zoetigheid, dozenvol bananen, ander fruit, en nog veel meer. In die tijd gingen we altijd met z'n allen. Er gold nog geen enkele beperking wat het aantal bezoekers betreft, en altijd ging ook Vito met ons mee. Zo was de hele familie weer eens gezellig bij elkaar.

In die tijd was Nardo gedetineerd in Palermo, in de achtste afdeling van de Ucciardone-gevangenis. Dat was de beste afdeling. Daar zaten alleen maar mensen van een bepaald niveau, 'criminelen van stand', geen drugsverslaafden, geen illegale immigranten of wanhopige types. Alleen maar geselecteerde mensen. Wij waren er trots op dat Nardo in die afdeling gevangenzat. Dat liet zien dat hij de juiste contacten had, dat hij belangrijk begon te worden binnen de organisatie, dat hij een gerespecteerd man was, dat hij zijn zaakjes kende en sluw was. Nee, hij was bepaald niet van gisteren...

Een andere keer, in een periode dat hij werd gezocht en dus ondergedoken moest leven, ging ik hem samen met mijn moeder opzoeken in het ziekenhuis, omdat hij een ongeluk had gehad. Met de vrachtauto was hij een helling af gegleden, waarbij stukjes glas van de voorruit in zijn gezicht waren gedrongen. Maar dat wisten wij nog niet. Hij had ons laten komen zonder te zeggen welke schade er was en hoe hij er zelf aan toe was. Maar wij waren het meest ongerust omdat hij op de afdeling psychiatrie bleek te liggen. Tussen de gekken dus. Wat had dat te betekenen? Dat hij zijn verstand kwijt was en niet meer normaal kon denken? Dat hij ons niet eens meer zou herkennen?

In de ziekenzaal lag hij naast mensen met ernstige psychische problemen; mensen die kreunden, die schreeuwden, die met openhangende mond naar het plafond lagen te staren. Een beetje angstig liep ik naar zijn bed toe en vroeg: 'Nardo, ben je écht gek?'

Hij antwoordde: 'Welnee, maak je niet druk. Je broertje is niet gek, hoor. Ik doe alleen maar alsof.'

Ik vroeg: 'Maar ben je dan niet bang voor de medicijnen en de prikken die ze je gaan geven?'

Om me gerust te stellen legde hij me toen fluisterend uit dat hij, omdat hij gezocht werd, had gedaan alsof hij geestelijk helemaal in de war was. Dat was de enige manier om niet gearresteerd te worden. Hij beloofde dat hij weer heel snel thuis zou zijn.

Zo waren Nardo en Vito. Michele was anders; die wilde niet bij Cosa Nostra komen. Dat betekent overigens niet dat hij helemaal geen problemen met justitie had. Toen ik negen was werd hij door justitie verplicht onder speciale controle in Bologna te gaan wonen, en na vier jaar besloot hij om daar te blijven. Omdat hij ver weg wilde blijven van Sicilië, en ook nog om een andere reden. Met een man uit Partinico, die daar al woonde en die we Giuseppe zullen noemen, was hij een bouwbedrijf begonnen, en de zaken gingen meteen goed. Af en toe gingen Nardo en Vito hem opzoeken, en namen hem dan in de maling. Ze noemden hem 'de doctorandus', omdat hij zich altijd netjes kleedde, met een colbertje, een stropdas en een mooie overjas. Voor Nardo en Vito was wat Michele deed niet echt werken, niet 'buffelen', zoals zij deden. Ze pestten hem dus flink, misschien ook omdat ze het niet goed konden hebben dat hij niets meer van hen en van Partinico wilde weten. Michele zei maar steeds: 'Wat willen jullie toch van me? Willen jullie me kapotmaken? Waarom laten jullie me niet met rust?'

Soms kregen ze ook echt ruzie, maar toch is het Michele gelukt om vijftien jaar lang overal buiten te blijven en verder te gaan met zijn carrière in Bologna. Hij is ook nog een veevoederfabriek en een vervoersbedrijf begonnen. Hij vervoerde melk voor Parmalat, tot Parmalat dat niet meer wilde. Een medewerker daar beweerde dat hij bedreigd was door Vito. Of het waar is weet ik niet, maar Michele was woedend, en er volgde weer een fikse ruzie met Nardo en Vito.

Maar als je Vitale heette, liep je altijd risico, en het draaide erop uit dat Michele ten onrechte werd aangeklaagd voor betrokkenheid bij handel in gestolen auto's en drugs. Samen met anderen werd hij gearresteerd. Hij werd veroordeeld tot twee jaar cel in Bologna. Vito en een vriend van hem, een zekere Antonino Greco, die jaren later op een nare manier aan zijn eind zou komen, en ik ondernamen de reis van Partinico naar Bologna. Mijn schoonzus Mariella, de vrouw van Vito, was er ook bij. Omdat Vito en zijn vriend in die periode gezocht werden, moesten wij vrouwen als dekmantel dienen, zodat we met z'n allen onopgemerkt konden reizen. Ook moesten Mariella en ik, samen met een andere vrouw, op bezoek bij Michele in de gevangenis, omdat Vito zich daarbinnen niet kon laten zien. Ook Giuseppe, de zakenpartner van Michele, zat daar gevangen, en ook hem gingen we bezoeken. Hij was indertijd mijn peter geweest. Een goeie vent, eerlijk ook, maar toch was er heel veel voor nodig om hem vrij te krijgen. Uiteindelijk is hij toch vrijgesproken en hij heeft het ons Vitales nooit kwalijk genomen dat we hem in de problemen hadden gebracht. Hij woont nog steeds in Bologna en iedere keer dat er daar iets voor ons geregeld moest worden, was hij bereid ons te helpen.

Hij is in Bologna een keer met me meegegaan naar een rechtszaak waarin Michele werd aangeklaagd. Toen we de grote hal binnen gingen, werden we achterop gelopen door een groepje mensen die meeliepen met een deftige heer met een bruinleren koffertje in zijn hand dat kennelijk stampvol papieren zat. Giuseppe zei dat die man de rechter was die moest beslissen over het lot van mijn broer. Ik dacht geen seconde na en stapte, tot verbazing van alle aanwezigen, op de rechter toe. Giuseppe probeerde me tegen te houden, maar ik pakte de man bij zijn jasje.

'Luistert u alstublieft, edelachtbare,' zei ik smekend, 'u hebt zich vergist. Mijn broer Michele Vitale is onschuldig… Hij heeft niets gedaan. Ik zweer het u!'

Hij keek me aan en begreep er duidelijk niets van, maar kreeg geen tijd om iets te zeggen, omdat Giuseppe me bij hem wegtrok. En al was ik toen dan nog heel jong en naïef, ik had wél gelijk. Michele was onschuldig en werd volledig vrijgesproken. Hij had in Bologna kunnen blijven om zijn werk met Giuseppe weer op te pakken, maar door alles wat er gebeurd was had hij een slecht imago gekregen. Hij besloot om terug te keren naar onze moeder op Sicilië.

Ook Nardo en Vito gingen als ze in de problemen zaten niet naar hun eigen huis en hun eigen vrouwen, maar kwamen naar mama. Misschien omdat ze zich alleen bij ons echt beschermd voelden en zeker wisten dat niemand hen zou verraden. Op een avond kwam bijvoorbeeld Vito binnenvallen. Hij was volkomen buiten zinnen, slaakte onbegrijpelijke kreten, kermde van de pijn en vloekte. Zijn kleren waren gescheurd en zaten vol roet; die hadden in brand gestaan! Ook zijn gezicht en haren waren verschroeid en zijn wenkbrauwen waren helemaal verdwenen. Hij leed vreselijke pijnen. Mama en ik gingen in de weer met kompressen met melk en water om hem tot bedaren te brengen. Ook probeerden we hem zo goed en zo kwaad als het ging te wassen.

Wat was er gebeurd? Een man uit het dorp had het lumineuze idee gehad om marihuana te gaan kweken op een stuk afgelegen land dat hij bezat. Het was uitstekend gegaan: de plantjes waren goed gegroeid en de man was al bezig om voor zijn oogst de afnemer met de beste prijs te zoeken. Maar aan niemand van Cosa Nostra had hij voor deze handel toestemming gevraagd, terwijl hij heel goed wist wie de aangewezen personen waren om op de hoogte te stellen. Zo had Vito opdracht gekregen om het veld in brand te steken en het als straf geheel in vlammen te laten opgaan. Omdat hij ervan uitging dat het geen moeilijke klus zou zijn, had hij niemand meegenomen en met behulp van wat jerrycans benzine alles alleen gedaan. Maar die avond stond er een sterke mistral, met steeds van richting veranderende windvlagen. In een paar minuten had het vuur Vito achter zijn rug helemaal ingesloten. Omdat hij nog niets had gemerkt, ging hij gewoon door met vóór zich nieuwe vuren stoken. En opeens was hij volledig omsingeld door torenhoge vlammen die door de wind steeds dichter naar hem toe werden geblazen; hij had geen enkele vluchtweg meer. Het leek erop dat hij een vreselijke dood zou gaan sterven en hij was doodsbang, maar toch had hij zichzelf onder controle weten te houden. Waar de vlammen het laagst waren, was hij het vuur in gesprongen en, als een waanzinnige rennend door de hitte en de rook, was hij erin geslaagd zich in veiligheid te brengen.

Hij vertelde ons dat hij de dood recht in de ogen had gekeken, dat hij het gevoel had gehad zich in de hel te bevinden en dat het echt met hem gedaan was. Hij besefte pas dat er nog hoop was toen hij, door die ondraaglijke hitte heen, een zuchtje koelere lucht op zijn gezicht had gevoeld. Vito, die de meest onvoorstelbare dingen had gedaan, die vaak genoeg in véél gevaarlijker situaties had verkeerd, was bijna aan zijn eind gekomen toen hij een veldje marihuana in de fik stak... Hij had de risico's niet goed ingeschat, en de schaamte daarover voelde hij volgens mij meer branden dan zijn wonden. Maar dat zou hij tegenover mama en mij natuurlijk nooit toegeven.

Wat Michele betreft: toen hij uit de gevangenis was gekomen, heeft hij onomwonden tegen Nardo en Vito gezegd dat hij geen ellende met justitie meer wilde en dat ze hem helemaal buiten hun criminele activiteiten moesten houden. Hij begon opnieuw een veevoederfabriek, en daarna een kippenfokkerij. De zaken gingen goed. Aangezien de andere twee broers telkens weer in de gevangenis zaten of moesten onderduiken, en zich dus niet meer met ons land in Val Guarnera konden bezighouden, nam Michele de zorg voor het boerenbedrijf op zich. Papa en ik hielpen hem daarbij, al begonnen Nardo en Vito mij steeds belangrijker opdrachten te geven en had ik steeds minder tijd.

Ik begon ook een 'soldaat' te worden, en langzaamaan was ik mama's rol aan het overnemen als het ging om het onderhandelen met justitie over de problemen die Nardo en Vito veroorzaakten. De signalen die mijn broers me gaven, de verholen handgebaren en de snelle blikken begreep ik moeiteloos... Ik vroeg nooit iets en ze hoefden me nooit iets uit te leggen. Natuurlijk wist ik wel dat je een vraag kunt stellen om iets te weten te komen wat een ander niet gezegd heeft. Maar als die ander het niet heeft gezegd, betekent dat dat hij het niet heeft willen zeggen. En waarom zou je zoveel vragen stellen als iemand iets niet wil zeggen? Dan kun je beter je mond houden. Zo redeneerde ik.

Mijn broers hadden me trouwens ook geleerd om te schieten. Dat begon toen ik klein was, zeven of acht misschien. We waren in Baronia, het was zomer, en zij waren voor de lol met een revolver op een betonnen pijler aan het schieten. Ik stond te kijken met mijn handen tegen mijn oren, omdat ik telkens nogal schrok van die schoten. Op een gegeven moment werd ik geroepen door Nardo: 'Giuseppì, kom hier, dan mag je het een keer proberen.'

Wapens, pistolen en geweren kende ik al, omdat ik die vaak thuis had gezien als mijn broers ze schoonmaakten. Ze fascineerden me en ik stelde me voor dat ze je een sterk gevoel van veiligheid konden geven. Ik had wel eens bewonderend staan kijken naar een revolver die mijn broers, terwijl ze aan het douchen waren, zomaar op de keukentafel hadden laten liggen. Het wapen aanraken had ik toen niet gedurfd. En een andere keer was ik zo ongeveer verliefd geworden op een semi-automatische revolver van Vito, die een prachtige kolf van paarlemoer had. Maar tot dat moment had niemand me ooit toegestaan een wapen vast te houden, en daarom was ik heel opgewonden toen Nardo het me voorstelde. Zorgvuldig volgde ik de instructies op die mijn broer me gaf over hoe ik de revolver moest vasthouden. Ik pakte hem met beide handen stevig beet en zette mijn benen wat uit elkaar om stabiel te staan. Achter me ondersteunde Nardo mijn armen. Toen vroeg hij me of ik er klaar voor was. Ik haalde heel diep adem en probeerde één oog dicht te doen om beter te kunnen richten, maar ik beefde als een riet en de loop danste op en neer. Maar ik mocht hem natuurlijk niet teleurstellen. Dus raapte ik al mijn moed bij elkaar, kneep mijn ogen allebei dicht en haalde in het donker de trekker over. De revolver sprong uit mijn handen weg en van angst en opwinding kon ik nauwelijks nog ademhalen. Heel rustig liet Nardo mij het schot overdoen, en nog een keer, en toen nóg een keer... En vanaf die dag ben ik absoluut niet meer bang voor wapens. Ik heb zelfs eens geschoten met een jachtgeweer kaliber 12. Door de terugslag brak ik bijna mijn schouder. Maar ik kon goed met wapens omgaan. Ik oefende samen met mijn broers op het land een stuk buiten Partinico, of in Sambuca di Sicilia, in een niet meer gebruikte groeve, omdat papa niet wilde dat we dat soort dingen nog in Baronia deden; de pijler waarop we daar schoten zat helemaal vol kogelgaten, en als de carabinieri langskwamen voor een of andere controle, wist hij nooit hoe hij dat moest verklaren.

Al heel snel leerde ik ook de verschillen tussen de verschillende soorten pistolen, tussen revolvers en semi-automatische wapens. Mijn broers lieten me bijvoorbeeld ooit het klassiek kaliber 38 pistool met korte loop proberen, en een andere keer de beroemde Beretta 98FS, kaliber 9 x 21, een wapen dat leek op de door Vito zo bewonderde pistolen die de politie en de carabinieri gebruiken. Maar ook oefende ik wel met de semi-automatische pistolen kaliber 22, die veel kleiner waren dan andere types en die je heel makkelijk onzichtbaar bij je kon dragen. Later ondervond ik vaak hoe opwindend het kan zijn om gewapend over straat te lopen. Nu, op mijn veertiende, reed ik al auto, ging ik van hot naar her voor Nardo, Michele en Vito. Naar school ging ik niet meer. Na de middenschool mocht ik van mijn broers niet verder leren. Nardo wilde eigenlijk dat ik al na de basisschool zou stoppen, en het heeft me heel wat moeite gekost hem zover te krijgen dat hij me naar de middenschool liet gaan. Dat had ik alleen maar voor elkaar gekregen omdat die school in de Via Principe Umberto stond, dicht bij ons huis, zodat hij me makkelijk in de gaten kon houden.

Op school was ik een goede en gehoorzame leerling. Ik vond het leuk om te studeren en nieuwe dingen te leren. Vooral in wiskunde en gymnastiek was ik goed. Wat sport betreft was ik zelfs veelbelovend. De gymleraar had bij het hardlopen gezien dat ik aanleg had voor de middellange afstand en bezorgde mij een plaats in de plaatselijke sportclub Partinico Audace. Ik behaalde uitstekende resultaten, ook al kon ik maar weinig trainen. Van mijn broers mocht ik dat buiten de schooluren niet doen, en ook niet op het terrein waar mijn team sportte. Dus was ik gedwongen om alleen tijdens de gymnastiekuren te trainen. Maar als er belangrijke wedstrijden waren, gaf, aangezien ik zo goed was in haar vak, de wiskundelerares mij soms toestemming om haar les over te slaan en die tijd te gebruiken om te trainen. De leraren hadden voor mij een parcours bedacht dat begon op het schoolplein, over het binnenterrein van het nabijgelegen ziekenhuis liep en daarna weer uitkwam bij de school. Zo kon ik hardlopen zonder door mijn broers te worden gezien.

In Partinico en in andere dorpen op West-Sicilië heb ik flink wat wedstrijden gelopen en altijd heel goede resultaten behaald. In mijn korte atletiekcarrière heb ik zelfs de olympisch kampioen Salvatore Antibo leren kennen, en met hem mogen trainen.

Iedere keer dat ik aan een wedstrijd wilde deelnemen, moest ik een strategie bedenken om onder het toezicht van mijn broers uit te komen. Zij wilden niet dat ik naar dat soort evenementen ging, omdat daar altijd veel militairen en andere jonge mensen waren en er samen werd gegeten, gedronken en gefeest. En dus maakte ik gebruik van de periodes dat zij in andere steden in de gevangenis zaten, of zich ergens ver weg schuil moesten houden. Papa heeft me in die tijd veel geholpen. Hij ging met me mee naar de wedstrijden en hield zijn mond dicht tegen mijn broers.

Op een gegeven moment werd ik opgeroepen om mee te

doen aan de nationale kampioenschappen in Salsomaggiore Terme, in Noord-Italië. Om mijn broers ertoe over te halen me te laten gaan, kwamen zo'n beetje al mijn leraren naar ons huis. Ze legden Nardo uit dat ik een talent was, dat het niet redelijk was om mij de mogelijkheid te ontzeggen om deel te nemen, en dat sport een heel gezonde bezigheid was. Ik had het geluk dat Michele in die tijd op bevel van justitie in Bologna moest wonen. Hij bood aan met me mee te gaan. Voor de reis werd ik toevertrouwd aan twee leraren, die van mijn broers te horen kregen dat ik onder geen voorwaarde met de rest van het team in een hotel mocht slapen. En verder mocht ik geen seconde alleen gelaten worden, tot we in Bologna zouden zijn aangekomen en Michele me onder zijn hoede nam.

En zo gebeurde het. Michele kwam me afhalen bij het station, en de ochtend van de wedstrijd stond hij al heel vroeg op omdat hij bang was te laat te komen; hij was nog nerveuzer dan ik. Hij perste zelfs een paar sinaasappels voor me uit en stond me toe om tijdens de wedstrijd een korte broek te dragen.

Ondanks mijn weinige uren training werd ik derde.

Maar al snel daarna moest ik ook stoppen met atletiek.

De jaren gingen voorbij, ik werd volwassener, en steeds meer gingen mijn broers mij zien als hun assistente bij de meest uiteenlopende zaken. Ik gaf hun raad over wat ze moesten aantrekken; vaak lieten ze mij zelfs hun kleren kopen. Ik verzorgde hen op allerlei manieren. Ik vertroetelde ze als ze daar behoefte aan hadden, ik ging overal met ze mee naartoe als ze dat vroegen. Ik fungeerde als tussenpersoon als ze een meningsverschil over iets hadden, of als ze niet met elkaar konden praten omdat ze in de gevangenis zaten of moesten onderduiken. Vaak heb ik het idee gehad dat ze er helemaal geen rekening mee hielden dat ik een meisje was, of eigenlijk al bijna een vrouw. Dat bleek wel uit de manier waarop ze me behandelden, uit de dingen die ze me aanleerden en die ze van me verlangden. Ik was niet als andere meisjes. Ik had geen vriendinnen, ik droeg nooit mooie kleren en ik gebruikte geen make-up... Nee, make-up nóóit; dat had ik wel begrepen die keer dat Nina een beetje mascara had opgedaan... Ik adoreerde Nardo, Michele en Vito, en ik geloof dat mijn broers ook veel van mij hielden. Maar ik geloof ook dat met het verstrijken van de jaren hun liefde voor mij van karakter veranderd en ontaard is, waardoor bij mij het gevoel te stikken steeds sterker is geworden. Soms leek het wel of ook ík was terechtgekomen in wat wij op Sicilië een *naca* noemen... Wéér een herinnering uit de tijd dat ik nog een pubermeisje was...

Op een dag was een van onze koeien komen vast te zitten in een naca, een grote en diepe, moerasachtige modderpoel. In Val Guarnera ontstonden die vaak als we de irrigatiepompen gebruikten. Die koe liep gevaar te zullen stikken, haar lijf was al bijna helemaal verzwolgen door de modder. Nardo dook op haar af en pakte haar bij de hoorns. Zo probeerde hij haar kop boven het drijfzand te houden. Maar het lukte hem niet. Het beest was doodsbang en doordat het zich steeds bewoog, zakte het steeds dieper. Nardo brulde naar mij dat ik hem moest komen helpen. Hij wilde dat ik zijn plaats zou overnemen, zodat hij snel de tractor kon gaan halen en het beest er met een touw uit kon trekken; anders zou het zeker sterven. Ik haastte me naar hem toe en greep de hoorns beet met alle kracht die ik bezat. Nardo rende weg en ik bleef alleen achter.

Het was ongelooflijk zwaar. Ik moest alles op alles zetten om de koe met haar kop boven de modder te houden. Ik zweette, en door de gladheid van de modder en het zweet samen verloor ik de greep. Keer op keer gleed ik zelf ook bijna de naca in. Het dier was in paniek en gaf me een haal met haar hoorn, die me een diepe snee bezorgde van mijn been tot mijn borst. Toch wist ik het vol te houden tot mijn broer terug was. Samen bonden we een touw om de kop van de koe en met behulp van de tractor lukte het ons om haar te redden. Pas toen zag Nardo dat ik bloedde en ging hij me verzorgen.

Maar die naca is me jarenlang blijven kwellen, en nu ben ik ervan overtuigd dat wij Vitales er toen allemaal al diep in waren weggezonken.

DE GESCHIKTE GELEGENHEID

Er zijn jaren die je beter helemaal kunt vergeten, maar die zo verschrikkelijk zijn geweest dat het onmogelijk is ze uit je hoofd te zetten. 1988 was zo'n jaar voor mij. Ik was nog maar zestien, en vanuit de rechterlijke macht van Bologna was een grote politieactie gestart in heel Italië, waardoor bijna mijn hele familie in de gevangenis was beland – ook mijn moeder, al kwam zij er na een paar maanden alweer uit. Op vrije voeten waren alleen nog ik, papa, Michele en Nina, maar zij was opnieuw zwanger en kon me dus niet helpen. Ik moest alles alleen doen: het huishouden, het contact tussen mijn broers in stand houden en zo goed mogelijk ons boerenbedrijf draaiende houden. Dat laatste deed ik samen met mijn vader, maar die was al ver in de zestig en het werk ging hem steed moeilijker af. Af en toe kwamen ook de vrouw en dochter van Nardo ons helpen, maar dat was toch anders. Waar Michele toen was, weet ik niet meer. Ik voelde dat alles aan het veranderen was. Toen mama weer thuiskwam, moest ze meteen in het ziekenhuis worden opgenomen met een gynaecologische kwaal. De familie leek uit elkaar te vallen, en ik vroeg me af wat er van ons en van mij zou worden. Maar de grootste problemen had papa.

Hij kreeg pijn in zijn maag en buik. Papa was iemand die

nooit klaagde. Hij moest er wel echt heel beroerd aan toe zijn voor hij tegen ons wilde zeggen dat hij zich niet goed voelde. Voor hem was het belangrijkste dat wíj niets mankeerden. En hij had natuurlijk altijd veel te doen: het werk op het land, de paarden, de andere dieren. Hij wilde niet naar de dokter. Toch kregen we hem zover om zich te laten onderzoeken, en de uitslag was vreselijk: hij had een kwaadaardig gezwel in zijn darmen en moest met spoed worden geopereerd. We brachten hem naar het grote ziekenhuis in Palermo, waar de artsen ons meteen zeiden dat het een heel moeilijke ingreep zou worden en dat de kans dat hij die zou overleven heel klein was.

Op 24 september werd papa geopereerd, en op dezelfde dag werd Nina opgenomen in het ziekenhuis van Alcamo, omdat haar vliezen waren gebroken. Mama was bij papa in Palermo, ik haastte me naar Alcamo om Nina bij te staan. Hoewel ze al een keer eerder was bevallen, waren er nu complicaties. Ze leed hevige pijn, maar zoals altijd hield ze zich in, waardoor de artsen het niet al te serieus namen. Of misschien gingen die artsen ervan uit dat elke bevalling pijnlijk is, en dat het dus normaal is dat een vrouw dan lijdt. Maar naarmate de tijd verstreek, kreeg Nina het steeds moeilijker, en ik had het gevoel dat er iets heel ergs stond te gebeuren. Ik maakte me grote zorgen om haar, ik maakte me grote zorgen om papa in Palermo; het was alsof ik in een nachtmerrie leefde. Ik riep de verpleegsters, maar die zeiden dat alles normaal was, dat alles goed verliep, dat we gewoon nog geduld moesten hebben, en dat het best mogelijk was dat het kind pas de volgende dag geboren zou worden. Maar de situatie was absoluut niet normaal. Nina leed verschrikkelijk.

Midden in de nacht verscheen gelukkig Michele. Hij was in Palermo geweest en kwam ons vertellen hoe het met onze vader ging, maar toen hij Nina zag, vergat hij zelfs papa even. Hij werd zo razend als een wild beest, begon te schreeuwen en te tieren en alles in de ziekenzaal kort en klein te slaan. Toen ging hij op zoek naar de verpleegsters, die hij aantrof in hun kamer, waar ze lagen te slapen. Hij trok ze allemaal uit hun stapelbedden en brulde: 'Wat is dat? Liggen jullie een beetje te maffen hier? Mijn zus ligt vreselijk pijn te lijden! Willen jullie d'r laten doodgaan of zo? Ga er wat aan doen, stelletje stinkhoeren!'

Hij hoefde het geen tweede keer te zeggen. Ze renden naar Nina en brachten haar meteen naar de verloskamer. Het kindje was met zijn nek in de navelstreng verstrikt geraakt en stikte bijna. Het was al helemaal blauw en ze hebben het op het nippertje kunnen redden. Een paar minuten later en het was dood geweest. Ik herinner me de blik van Nina: ze was volkomen uitgeput, maar in haar ogen was een oneindige tederheid teruggekeerd.

Pas toen vertelde Michele ons over papa. De operatie was, zoals voorzien, heel moeilijk geweest. De chirurg had Michele uitgelegd dat de tumor heel groot was en dat het niet vaak gebeurt dat een patiënt iets dergelijks overleeft. Ook had hij gezegd dat het wel leek of papa van de zevende verdieping van een gebouw was gevallen, en dat hij op elke verdieping daaronder even op een zonnescherm was terechtgekomen, zodat zijn val steeds werd gebroken: bij een operatie zoals hij had ondergaan, overleeft slechts één op de duizend mensen. Gelukkig leken er geen uitzaaiingen te zijn en waren al zijn organen nog intact.

Elke dag ging ik bij hem in Palermo op bezoek. Ik reed er dan van Partinico in de auto naartoe, ook al had ik nog geen rijbewijs. Ik móést erheen, niet alleen omdat ik veel van hem hield, maar ook omdat papa zich geneerde voor de verpleegsters en wilde dat ík hem de injecties in zijn bil toediende. Het schonk me veel troost te zien hoe snel hij opknapte. Er kwamen ook veel vrienden bij hem op bezoek, vooral paardenliefhebbers. Vóór zijn operatie had papa al zijn paarden verkocht, maar nu wilde hij ze weer allemaal terugkopen, en daar praatte hij voortdurend over.

Tussen die paardenvrienden van papa was er één die een jongere broer had, die ook wel bij hem op bezoek kwam. Die jongen was elektricien, en in die periode deed hij werk in het ziekenhuis van Palermo. Het was een knappe, rustige knul. Ik kende hem al van jongs af aan, omdat we op dezelfde lagere school hadden gezeten, zij het niet in dezelfde klas omdat hij een paar jaar ouder was dan ik. Angelo kwam altijd bij papa op bezoek in de overall die hij voor zijn werk droeg. Hij was beleefd en aardig. Ik dacht dat hij steeds maar op bezoek kwam om zijn respect voor onze familie te tonen...

Al snel werd papa ontslagen uit het ziekenhuis en kwam hij weer thuis. Hij was nog zwak en moest zich aan een dieet houden. De artsen hadden gezegd dat hij het rustig aan moest doen, maar hij wilde meteen weer het land op. Hij kocht al zijn paarden weer terug, en nam er ook nog vier kalfjes bij. Heel lief waren die, maar ze moesten natuurlijk wel verzorgd worden. Dat was zijn manier om weer leven in zijn lijf te voelen, maar echt zwaar werk kon hij niet meer doen, en ik moest dus altijd bij hem zijn. Soms kwam ook Nina helpen in Baronia. Maar die omheining, dat was míjn klus.

Precies veertig dagen na de operatie had mijn vader het in zijn hoofd gehaald om een omheining op ons land te maken, zodat de paarden daarbinnen in de openlucht konden zijn. Het moest een terrein worden van 21.430 vierkante meter. Het had geen enkele zin te proberen hem daarmee nog te laten wachten. Als ik hem niet wilde helpen, zei hij, dan zou hij het allemaal zelf wel regelen; hij wilde me absoluut niet dwingen, maar die omheining moest er komen, de paarden moesten naar buiten kunnen, want die beesten stonden te lijden in die stallen. Wist ik dat soms niet? En ik had nog wel zoveel verstand van dieren... Het draaide erop uit dat ik langs de hele omtrek van de omheining een enorme hoeveelheid betonnen palen van twee meter lengte moest aanslepen. Ongelooflijk zwaar werk.

Een tijd geleden heeft een Siciliaans meisje een boek geschreven met de titel *Ik wilde een broek dragen*. Ik wilde niet per se een broek dragen, maar ik móést wel. In die periode was ik altijd maar met mijn vader op het land en ik zag er toen absoluut niet uit als een vrouw. Ik zie mezelf nog voor me, met een hoedje op mijn hoofd om mijn haren in weg te stoppen en met grote laarzen aan, waarin ik de pijpen van mijn broek had gestopt. Ik deed heel zwaar werk, ik was altijd smerig en bezweet, en ik stonk net als de dieren. Aan de ene kant had ik het er moeilijk mee, maar aan de andere kant vond ik het misschien ook wel stoer. Maar niet als er bepaalde dingen gebeurden...

Op een dag kwam Vito langs op de boerderij. Hij had een vriend bij zich, die ik niet kende – een 'collega', zoals Vito zei. Daar stond ik, zoals altijd tussen de koeien, paarden en kalveren. Vito stelde me voor aan zijn vriend: 'Dit is mijn zusje.'

Die vriend geloofde het niet.

'Wat zeg je? Je zúsje?'

Wat moest ik doen? Wat kon ik zeggen? Vito begon hem meteen uit te leggen hoe goed ik in alles was, en hoe betrouwbaar. Ik was geen jongen, ik was béter dan een jongen! Hij schepte over me op, hij zei dat hij het maar had getroffen met zo'n zus.

Vito mocht het dan hebben getroffen, voor mij gold dat veel minder. Ook als ik niet moest zwoegen op het land, mocht ik nooit het huis uit, ik mocht niet eens uit het open raam kijken. En als ik wel eens de deur uit ging, mocht ik bijvoorbeeld geen zonnebril opzetten. Omdat ik niet meer naar school ging, en niet meer aan atletiek deed, probeerde ik andere manieren te vinden om niet de hele tijd in de keuken of de stal opgesloten te zijn. Ze hadden me gevraagd lid te worden van een zaalvoetbalteam voor meisjes, maar ik liet het wel uit mijn hoofd om mijn broers te vragen of het mocht. Ik schreef me in voor een cursus knippen en naaien, en later voor een computercursus, maar vroeg of laat moest ik er van hen altijd weer mee stoppen. Soms ging ik stiekem de deur uit; dan wisten alleen mama en papa ervan, maar daarmee bracht ik ook hen in gevaar. Mijn vroegere schoolvriendinnen kwamen wel eens langs, Giusy en Giovanna. We babbelden dan eventjes, maar al snel gingen ze weer weg om te wandelen in het dorp, iets wat mij ten strengste verboden was.

Zo kon het niet doorgaan. Ik voelde dat ik dreigde te stikken, altijd was ik onrustig. Ik wist niet wat ik moest doen, maar ik verlangde er sterk naar om los te breken. Ik moest alleen wachten op de geschikte gelegenheid. Die gelegenheid heette Angelo.

EEN KOEIENHART

Zoals gezegd kende ik hem al. Ik had met hem op de lagere school gezeten. Hij woonde in de Santa Caterina-buurt,
aan de rand van het dorp. Aangezien ze daar toen nog maar
net waren begonnen met bouwen, was er nog vrijwel niets,
en moest hij dus in Casa Santa, waar ik woonde, op school.
Bovendien was zijn broer bevriend met mijn vader en zaten
ze vaak, samen met de andere paardenliefhebbers, over paarden te praten in hun vaste bars en op hun vaste plekken op
de pleintjes. Ik had hem wat beter leren kennen toen Michele
uit Bologna was teruggekomen en een kippenfokkerij had
opgezet in Santa Lucia di Sicilia. Het elektricienswerk daar
had mijn broer door hem laten doen, omdat hij had gehoord
dat het een betrouwbare jongen was. En zo kwam hij dus wel
eens bij ons thuis langs om met Michele te overleggen, en als
die er nog niet was, bleef hij even wachten en kreeg hij een
kopje koffie van mama.

Op een avond zaten mama, papa en ik in de huiskamer televisie te kijken toen de bel ging. Ik liep naar het open raam
om te zien wie het was. Ik dacht dat het Michele zou zijn,
maar het was Angelo. Hij wachtte niet eens tot ik de deur
opendeed, maar fluisterde meteen: 'Luister, ik moet even met
je praten.'

Dat verwachtte ik niet, ik was er een beetje van in de war. Niet verbaasd of nieuwsgierig, maar in de war.

'Wij tweeën hebben elkaar toch niks te zeggen? Moet je Michele soms spreken? Michele is er niet, die is bij zijn verloofde.'

Een onbeleefde en harde reactie van mij.

Hij zei: 'Nee, ik wil echt met jóú praten.'

Ik begreep er niets meer van. 'Wil je mijn vader spreken? Wacht, dan zal ik hem even halen.'

Maar hij hield vol: hij wilde echt met mij praten. Hij wist natuurlijk wel dat Michele niet thuis was, want hij werkte samen met Michele. En ik was absoluut niet van plan om helemaal alleen met hem te gaan praten. Ik stuurde hem weg.

Wie had dat ook verwacht? Ik was zeventien en zoiets was me nog nooit overkomen. Ik was verrast, verward, van streek. Ik voelde me naar, en tegelijkertijd heel fijn. Ik kan het niet uitleggen. Maar feit was dat iemand had opgemerkt dat ik bestond.

Korte tijd later vroeg mama Angelo een paar klusjes in ons huis te komen doen. Ik zag wel dat hij stiekem naar me keek terwijl ik aan het werk was, maar telkens vluchtte ik weg naar een andere kamer. Ik durfde hem niet recht aan te kijken. Mama had er niets van gemerkt – die indruk had ik tenminste – en vroeg me om koffie voor hem te maken. Natuurlijk deed ik dat. Ik zette het kopje op een klein dienblad, ging naar de huiskamer, waar hij in de weer was met elektriciteitsdraden, zette het blad snel neer en vluchtte weer weg. Ik schaamde me dood, maar ik vond die jongen wel heel leuk. Alleen had ik er geen flauw idee van hoe ik me moest opstellen.

Tot ik hem op een ochtend tegenkwam bij Michele op de boerderij. Toen ik even alleen was, zei hij weer: 'Hé, hoor 'ns, ik moet echt met je praten…'

Ik zei: 'Wat wil je nou eigenlijk van me?'

'Ik wil verkering met je.'

Wat kon ik daarop antwoorden?

'Ik wil helemaal geen verkering, met niemand!'

Maar hij bleef aandringen en omdat ik bang was dat Michele of iemand anders iets zou horen, beloofde ik hem: 'Goed, ik zal erover nadenken.'

Een paar dagen later liep ik op straat. Ik moest in een winkel dicht bij ons huis een paar boodschappen voor mama doen. Ik wilde net naar binnen stappen, toen ik Angelo zag komen aanrijden in zijn auto. Hij stopte naast me en vroeg me vanuit het raampje: 'Nou?'

Dat deed hij zomaar midden op straat, met het risico dat de mensen ons zagen en over ons zouden gaan praten… Bijna zonder na te denken, antwoordde ik: 'Oké, laten we dan maar verkering nemen.'

Zo zijn we bij elkaar gekomen. Erg romantisch was het niet, maar ik was dolgelukkig. Het probleem was dat ik het geheim moest houden voor mijn broers. Ik zei het niet eens tegen mama. De enige aan wie ik het vertelde was Nina. Maar moeilijk was het wel. We konden niet samen gaan wandelen, we konden elkaar niet bellen, we moesten allerlei trucs verzinnen. Elke ochtend voordat hij naar zijn werk ging kwam Angelo een neef van hem oppikken die bij hem in de leer was. Die neef woonde vlak bij mij. Ik wist precies hoe laat hij hem 's morgens kwam ophalen en hoe laat hij hem 's avonds weer terugbracht. Dan stond ik bij het raam om Angelo te zien en om naar hem te zwaaien. En als hij even met me wilde praten, belde hij naar het huis van een buurvrouw van ons, die in het complot zat. Vanuit haar raam vroeg zij me dan of ik haar even kon helpen met lakens vouwen of met een karweitje in de keuken. Zo kon ik dan via haar telefoon een poosje met Angelo babbelen. Heel soms lukte het me ook om een kwartiertje uit huis weg te komen. Dan zei ik tegen mama dat ik een boodschap moest doen, dat dit of dat was opgeraakt in huis en dat ik dus echt even de deur uit moest... Maar het was moeilijk en gevaarlijk.

Een keer was het ons weer gelukt om elkaar op de hoek van onze straat op die manier een momentje te zien, toen Nardo in zijn auto voorbijkwam. Hij zag ons niet, maar ik stond stijf van de schrik. Altijd was ik doodsbang, altijd had ik van angst 'een koeienhart', zoals we op Sicilië zeggen.

Een jaar lang hebben Angelo en ik op die manier verkering gehad, met angst, geheimpjes en smoezen.

De eerste die erachter kwam was mama. Het was dan ook moeilijk om voor haar iets verborgen te houden. Ze had een scherpe en ervaren blik voor dat soort dingen. En bovendien was ik duidelijk veranderd. Als ik de deur uit ging, kwam ze achter me aan, en als ik aan het bellen was, kwam ze naast me staan om mee te luisteren. Het draaide erop uit dat ik haar alles moest opbiechten, met het vervelende gevolg dat zij óók doodsbang werd. Ze was als de dood dat mijn broers het te weten zouden komen. Maar het feit dat ik het aan haar had verteld, gaf me wel wat meer moed, en ik begon Angelo ook af en toe bij ons thuis uit te nodigen, vanzelfsprekend als Nardo, Michele en Vito er niet waren. Iedere keer dat ik dat van plan was, raakte mama helemaal van streek en probeerde ze me met dreigementen tegen te houden.

'Als je hem hier ontvangt, zeg ik het tegen je broers. Die vermoorden me als ze het te weten komen. Ze vermoorden ons alle twee!'

Die arme ziel was echt doodsbang, maar toch daagde ik haar uit, ook al begreep ik haar angst heel goed.

'Zég het dan tegen ze! Roep ze en zeg het, als je durft!'

Op een nacht moest ik uit bed om naar de wc te gaan. Toen ik langs de kamer van mijn ouders kwam, hoorde ik mama tegen papa praten.

'Die dochter van je maakt me helemaal gek... Ze wil me in m'n graf hebben, geloof ik. Ik ga eraan kapot. In m'n kist, wil ze me hebben... Ik kan niet meer. Ik ga alles aan haar broers vertellen...'

Zo ging ze maar door tegen mijn vader, die toch óók maar een zielenpoot was. Ze zette hem onder druk omdat ze wilde dat hij maatregelen zou nemen. Daarmee bedoelde ze dat hij me moest gebieden Angelo niet meer te zien en niet meer met hem te praten. Maar opeens verloor ik mijn geduld en sprong ik razend van woede hun kamer binnen.

'Wat zeg je allemaal tegen mijn vader? Ik zal zelf wel even vertellen hoe het zit. Ik heb verkering met Angelo, nou én? Probeer je daarom mijn vader tegen me op te zetten?'

En tegen mijn vader zei ik: 'Ja, papa, het is waar. Ik heb verkering met Angelo. Is dat een probleem soms?'

Dat was dan dat. Nu was ook papa op de hoogte, ik had gezegd wat ik te zeggen had en voelde me beter. Maar papa was het probleem niet. Ook hij gaf me weinig vrijheid, maar hij was lief en gaf alleen een klap als het echt niet anders kon.

Zoals die keer dat ik bij Franca was, een andere buurvrouw. Ik was haar met iets gaan helpen, dit keer écht, en was daar een paar uurtjes blijven praten. In de tussentijd was mijn vader thuisgekomen en had daar mijn schoonzusters aangetroffen, de vrouwen van Nardo en Vito, die op visite waren gekomen. Ik heb nooit goed met die twee kunnen opschieten, dus vond ik het helemaal niet erg dat ik naar buurvrouw Franca was geroepen. Toen hij zag dat ik niet thuis was, vroeg mijn vader: 'Waar is Giuseppina?'

'Die is de deur uit... Iedereen weet toch waar Giuseppina altijd maar naartoe gaat...?'

Zij mochten mij ook niet, en dus gingen ze door met mij zwartmaken bij mijn vader. Toen ik thuiskwam, was die dan ook razend op me. Hij liet me niet eens iets zeggen, maar gaf me meteen een klap in mijn gezicht, die me meer pijn deed in mijn ziel dan op mijn wang. Ik probeerde rustig te blijven en uit te leggen hoe het zat.

'Papa, ik was gewoon bij Franca. Roep haar en vraag het, als je me niet gelooft.'

Meer hoefde ik niet te zeggen. Hij begreep dat hij zich had vergist en, gekwetst als hij was, begon hij uit te varen tegen zijn schoondochters en te vertellen wat ze allemaal over me hadden gezegd: dat ik telkens maar de deur uit ging, dat ik wie weet waar naartoe ging, en met wie weet wie... Alsof die twee niet wisten wat voor leven ik leidde. En bovendien: zij waren toch ook vrouwen? Waarom vonden ze het nodig om mij in de problemen te brengen? Vanaf dat moment heb ik met papa nooit meer problemen gehad over Angelo. Het gebeurde zelfs wel dat papa hem naar de boerderij liet komen om een klus voor hem te doen.

Maar hoe lang kon ik het nog voor mijn broers geheimhouden?

Ik was echt veranderd. Ik besteedde meer aandacht aan mijn kleding, ik verzorgde mezelf beter, en ik was vaak verstrooid en dromerig…

Op een dag kwam Nardo me thuis ophalen. Hij wilde dat ik meeging naar de boerderij. Niets bijzonders, dat deed hij wel vaker. Het leek een doodgewone dag. Maar toen we in de auto zaten, begon hij meteen een lang verhaal tegen me te houden dat ik niet begreep. Of eigenlijk: ik begreep niet wat hij ermee bedoelde. Hij bleef maar tegen me praten, alsof hij een preek hield. Hij praatte maar door, híj, die juist altijd een man van weinig woorden was. En hij zei dingen die voor mij vanzelf spraken… Hoe belangrijk zijn familie voor hem was, hoeveel hij om me gaf en dat dat altijd zo geweest was… dat ik een van de mensen was die hem het dierbaarst waren. Zo lief had ik hem nog nooit meegemaakt, en ik wist niet wat ik ervan moest denken. Ook zei hij maar steeds dat het heel belangrijk was dat we elkaar konden vertrouwen, dat we elkaar alles moesten vertellen, dat we geen geheimen voor elkaar moesten hebben. Nog altijd begreep ik het niet goed, maar ik was wel helemaal vertederd. Ik stond op het punt om hem alles te vertellen over Angelo, toen ik me opeens realiseerde… En vlak voor mijn voeten opende zich een enorme afgrond. Op hetzelfde moment viel hij stil. Hij zei alleen nog: 'Laten we hopen dat het niet is zoals ik denk…'

Met opzet liet hij het daarbij. Angstig besefte ik dat ik opnieuw 'een stuk niks' was geworden. Nardo zou nooit toestaan dat ik verkering had met Angelo, noch met iemand anders. Mijn leven was geheel en al zijn exclusieve bezit. Zo was het, en daarmee basta.

De rit naar de boerderij verliep verder in stilte. Toen we er waren, liet hij me uitstappen en bracht hij me naar een dikke boom. Daar pakte hij me bij mijn kin en dwong hij me omhoog te kijken.

'Kijk 'ns!' zei hij.

Aan de boomtakken hingen aan lange stroppen de al verstijfde lijken van vijftien honden. Hij zei alleen maar dat er schapen waren doodgebeten en dat hij woedend was geworden op alle zwerfhonden in de omgeving. Hij had ze gevangen en levend opgehangen.

'Zie je hoe die aan hun eind zijn gekomen? Dat zal ze leren!'

EEN BOS RODE ROZEN

Of ik echt van hem hield? Toen dacht ik van wel... Hoe meer mijn broers ertegen waren dat ik Angelo zag, des te meer dacht ik van hem te houden, en wílde ik van hem houden.

Het werd 25 februari 1990: mijn achttiende verjaardag. Eindelijk was ik meerderjarig. Iedereen kwam me feliciteren, ook Nardo, Michele en Vito, die toch al een tijd niet meer tegen me hadden gesproken. Dat zwijgen van hen deed me meer pijn dan hun klappen. Ze hadden thuis zelfs een feestje voor me georganiseerd. Dat had ik totaal niet verwacht en het deed me veel plezier. Angelo stuurde me een bos rode rozen, achttien stuks... met van die lange stelen. Tussen de andere bloemen die ik had gekregen, die eenvoudiger waren, minder chic, merkte Nardo ze onmiddellijk op.

'En deze?' vroeg hij me.

Ik voelde er niets voor om op mijn verjaardag ruzie te krijgen en ik had ook meer dan genoeg van al dat gevraag van hem, dus zei ik dat ik die gekregen had van Margherita, een oude vriendin van de familie. Daar kon hij natuurlijk geen bezwaar tegen hebben. Hij geloofde me, of hij deed of hij me geloofde, dat weet ik niet. Ik elk geval verliep het feestje heel rustig. Maar toen we klaar waren met eten, ging de bel. Wie zou dat zijn? Het bleek diezelfde Margherita te zijn, met haar man. Ze hadden een grote bos bloemen voor me meegebracht. Gelukkig was ik de deur gaan opendoen en kon ik haar nog net op tijd zeggen dat het beter was als die bloemen even verstopt werden, en dat ik haar later precies zou vertellen wat er aan de hand was. Ook spraken we snel af wat we tegen Nardo zouden zeggen over die grote bos rozen, als hij daar weer over zou beginnen. Nardo zei niets, maar aan het eind van de avond maakte hij wel een grapje over het feit dat iemand die Margherita heet niet gewoon margrieten geeft, maar juist heel mooie en dure bloemen. Hij wilde ons aan het lachen maken, maar niemand scheen het leuk te vinden.

Ik kon er gewoon niet meer tegen en het lukte me ook niet meer om de godganse dag de schijn op te houden, om me steeds maar te verbergen, om constant onderdanig te blijven. Natuurlijk hadden ze dat in de gaten. Ik was hun bezit, maar wat hun het meest dwarszat was dat ik kennelijk iets voor ze geheimhield, dat ik ze bedroog. Ze hadden geen zekerheid over mijn relatie met Angelo, maar ze voelden dat er iets broeide, en ze konden niet aanvaarden dat ik was begonnen me te verzetten. Voor hen was het ondenkbaar dat ik – een vrouw, het jongste kind van het gezin, dat door Nardo altijd was behandeld als zijn eigen dochter, het meisje dat nooit wilde ideeën had gehad en dat altijd tot hun beschikking had gestaan – zomaar opeens hun gezag ter discussie stelde. Het zat ze heel hoog. Het was onbestaanbaar dat ik, die kleine Giuseppì, opeens mijn eigen wil volgde, en dat ik ook nog eens onder één hoedje speelde met mijn ouders, vooral met mijn vader. Een vader was het hoogste gezag in het gezin en zou toch moeten ingrijpen en een eind moeten maken aan die geheime vrijerij. Hij zou zich moeten laten gelden en mij weer tot de orde moeten roepen. Ze dachten net als mama, of liever: mama dacht net als zij. Maar inmiddels zat zij er ook tot over haar oren in en kon ze niets meer zeggen.

Op een ochtend reed ik met mama en papa in onze kleine Fiat 126 uit Baronia naar huis terug. Opeens zagen we uit de tegenovergestelde richting Michele en Vito in hun auto ons tegemoet komen. Ze begonnen luid te claxonneren en uit de raampjes gebaren te maken. Ze wilden dat we zouden keren en terug zouden gaan. Ik zat aan het stuur en met tegenzin keerde ik de auto. 'Wat krijgen we nou weer?' mopperde ik, want er ging geen dag voorbij of ze kwamen ons wel lastigvallen met hun problemen. Daar waren ze heel goed in.

Wij kwamen het eerst aan in Baronia. We waren net de boerderij binnen gegaan, toen we de auto van mijn broers met piepende remmen tot stilstand hoorden komen. Als wilde beesten stapten ze uit en ze begonnen me te beledigen en uit te dagen. Ze waren echt heel bedreigend en gemeen. Ze maakten vunzige opmerkingen en grinnikten vals. Ik kon me niet langer inhouden en begon ze lik op stuk te geven. Ik wist welk gevaar ik liep, maar toch ging ik openlijk tegen ze in. Ooit moest dat toch gebeuren... Ik wist heel goed wat ik deed en wat zij later met me zouden doen. En inderdaad kwamen ze op me af met woest vertrokken gezichten en dat harde licht in hun ogen. Ik kon de smaak van bloed al proeven in mijn mond, mijn trommelvliezen knapten bijna door het waanzinnige bonken van mijn hart. Maar voor ze de kans hadden een hand naar me uit te steken, sprong papa ertussen. Mama zat stijf van angst verscholen in een hoekje en durfde geen woord uit te brengen. Papa kreeg alles over zich heen. Hun razernij was des te groter omdat hij ervan had geweten, en niet had ingegrepen. Angelo, weer ging het over mijn omgang met Angelo… Ze zeiden de vreselijkste dingen tegen papa.

'Wat moet je nou, stuk stront?! Jíj had d'r moeten vermoorden, en nu moeten wij doen wat jij had moeten doen!'

Ze waren echt overtuigd van wat ze brulden. De aderen in hun hals waren gezwollen en hun ogen puilden uit hun kassen… Mijn vader had mij klappen moeten geven, mij tot inkeer moeten brengen en mij moeten laten stoppen met de familie te schande te maken. Ze begonnen ons te slaan, mij én mijn vader. Meedogenloos ramden ze erop los.

Op dat moment kwam ook mama tevoorschijn uit haar hoekje en ze riep naar hen dat ze moesten ophouden. Het was ook te veel voor háár om Michele en Vito hun eigen vader te zien slaan. Maar het had geen enkele zin.

'Hou je kop, jij, anders kun je ook een paar knallen krijgen!' Ze gaven haar zo'n harde duw dat ze over de grond rolde naar een andere hoek, waar ze als een dweil bleef liggen. Ze durfde zich niet meer te verroeren. Ook papa en ik lagen op de grond, en we waren er allebei slecht aan toe. Ze bevalen ons op te staan en sleepten ons naar een put die daar ergens was. Ze haalden het deksel eraf, pakten ons bij de nek en duwden onze hoofden in het gat. Nóg kan ik de vochtige walm en de stank van schimmel ruiken die uit die duisternis omhoogkwamen. De echo versterkte het geluid van ons gehijg en van hun laatste kreet: 'We zouden jullie er eigenlijk in moeten gooien!'

Toen lieten ze ons daar achter en liepen naar de stallen. Wij gingen weer staan, maar we hadden veel pijn, waren volkomen van streek en konden geen woord uitbrengen. En daar kwamen ze alweer terug. Niets is erger dan telkens maar weer dezelfde nachtmerrie te moeten beleven, ononderbroken... je te moeten voorstellen dat je nu écht wordt doodgeslagen, terwijl je nog kermt van de pijn van de klappen die je al hebt gehad. Maar we werden niet doodgeslagen. In plaats daarvan gaven ze papa de opdracht twee paarden te zadelen. Dat was een manier om hem nog verder te vernederen. En papa zadelde de twee paarden; keurig gehoorzaamde hij zijn zoons, en hij hielp ze zelfs erop te klimmen. Vito galoppeerde meteen weg. Met betraande ogen wendde papa zich toen tot Michele en zei tegen hem dat hij en zijn broer twee ontaarde zoons waren, en dat ze hun vader schandalig hadden behandeld; zij, die zijn eigen vlees en bloed waren... Michele haalde zijn sigaretten en aansteker uit zijn zak en smeet ze in zijn gezicht. Toen ging ook hij er galopperend vandoor.

Nooit zal ik de moedeloosheid, het verdriet, de vernedering, de treurigheid en de verslagenheid vergeten die ik toen in papa's blauwe ogen zag. We stapten weer in onze Fiat 126 en reden zwijgend en als geslagen honden naar huis.

Ik zat opgesloten in een kooi. Er was geen enkele mogelijkheid om mijn broers mijn verkering met Angelo te laten aanvaarden. Terwijl hij toch uit een heel goede familie kwam die nooit problemen met justitie had gehad en waarover geen roddelpraatjes rondgingen. Alles keurig. Ze waren niet als de familie van het eerste meisje van Michele. Al heel jong had Michele verkering gekregen met een meisje van zestien, Gemma, dat net van kostschool kwam. Ze was heel knap, zo knap dat zijn hoofd helemaal op hol raakte, en ze waren dolverliefd op elkaar geworden. Ze was met hem meegegaan naar Bologna, en ze hadden twee kinderen gekregen. Maar wij mochten Gemma en haar kinderen nooit zien; die mochten niet eens bestaan. Zo wilde Nardo het. Michele was dan wel een jongen, en niet een *fimmina*, een meisje, zoals ik, maar omdat er in het dorp gezegd werd dat de moeder van Gemma een hoer was, mochten wij ons niet verbinden met die familie. Een tijdlang had Michele geprobeerd zich er niets van aan te trekken. Dat hij in Bologna woonde, kwam hem in dit verband dus wel goed uit: daar kon hij gewoon met Gemma zijn. Nadat hij was teruggekomen naar Partinico, probeerde hij eerst haar in het geheim te blijven zien, maar uiteindelijk moest hij haar toch loslaten. Als ze te dicht op je huid zitten, red je het niet. Maar het was nog niet afgelopen.

In ongeveer dezelfde periode waarin ik verkering kreeg met Angelo, kreeg Michele iets met een zekere Anna uit Terrasini. Ze zagen elkaar vaak en maakten al huwelijksplannen. Maar opnieuw stak Nardo een spaak in het wiel. De familie van Anna was een maffiafamilie, maar ze stonden aan de verkeerde kant... Onze twee maffiafamilies waren heel anders, en een huwelijk was dus uitgesloten. Deze keer was Michele minder snel bereid toe te geven en hij probeerde zich tegen zijn broer teweer te stellen. Dat gaf de ene ruzie na de andere. Michele was absoluut niet van plan Anna op te geven en het draaide soms dan ook uit op knokken met Nardo. Elke keer als papa ze uit elkaar probeerde te halen, kreeg ook hij klappen. De situatie liep uit de hand toen Nardo de Volvo van Michele in brand had gestoken en Michele, die probeerde het vuur te blussen, bijna zelf in vlammen opging.

Om zijn leven niet verder in gevaar te brengen, verbrak Michele daarna alsnog de verloving met Anna. Pas na zijn veertigste is hij uiteindelijk getrouwd, met de vrouw die nu nog steeds zijn echtgenote is. Maar toen was Nardo al voorgoed de gevangenis in gedraaid.

Van al dit soort dingen was ik natuurlijk op de hoogte. Ik kon niet begrijpen waarom Michele mij mijn verkering met Angelo zo kwalijk nam, terwijl hijzelf met zijn meisjes zoveel had moeten doormaken. Ik kwam er niet uit. Aan de ene kant hield ik nog steeds zielsveel van mijn broers, aan de andere kant was ik doodsbang voor ze. In die tijd gingen mijn broers gevangenis in gevangenis uit, maar ik had het gevoel dat ík in een gevangenis zat.

Het was 9 september 1990. Ik was achttien jaar en 196 dagen oud. Vito was ergens bij Rome om een kudde schapen te kopen. Michele was voor zaken terug naar Bologna. Alleen Nardo was nog in Partinico, maar die was naar de boerderij gegaan om de koeien te melken. Hij had daar de hele ochtend werk aan. Hij zou daar in de buurt dan ook lunchen en pas tegen zeven uur 's avonds weer terugkomen. Zo deed hij dat altijd. Dit was een kans die ik niet kon laten schieten, dus ik zei tegen mama: 'Mama, luister 'ns, ik ga even de deur uit met Angela.'

Angela was een meisje dat een jaar jonger was dan ik en dat ik al van jongs af aan kende. Ik belde haar en vroeg of ze zin had een ijsje met me te gaan eten. Even daarvoor had ik met Angelo afgesproken dat we elkaar zouden zien in een ijssalon dicht bij het centrale plein van Partinico.

Mama wilde absoluut niet dat ik de deur uit ging. Ze werd heel kwaad, maar het lukte haar niet me thuis te houden.

Mijn vriendin woonde vlak bij ons, en samen gingen we op weg naar het centrum. Maar al snel werden we ingehaald door Angelo in zijn auto. We stapten bij hem in en met z'n drieën gingen we een heerlijk ijsje eten. Als iemand ons had gezien, kon ik altijd zeggen dat ik niet met hem alleen was geweest. Op een gegeven moment, toen we een beetje verveeld naar de voorbijwandelende mensen zaten te kijken, kwam Angelo met een voorstel.

'Zeg... zullen we naar de zee gaan?'

Ik was nog maar een paar keer naar zee geweest, met de kinderen van Nina, en hoewel Partinico maar een paar kilometer van de kust ligt, dácht ik er niet aan om zonder dat mijn ouders en broers het wisten stiekem naar het strand te gaan. En zoiets durfde ik natuurlijk ook niet aan ze te vragen! Maar die dag was ik in een avontuurlijke bui en had ik het idee dat ik het wel een keertje kon wagen. We gingen naar Grotta Palumma, tussen Città del Mare en Terrasini. Dat is een schitterende plek met hoge bergwanden die loodrecht uit zee oprijzen, azuurblauw water en goudkleurige strandjes waar de golven in duizenden zoute fonteintjes uiteenspatten tegen de rotsen. Ik kon me nauwelijks voorstellen dat zo'n mooie plek gewoon daar te vinden was, op een paar kilometer van mijn huis, en dat je er niet voor naar een tropisch eiland aan de andere kant van de wereld hoefde. Ik was totaal betoverd en verloor alle gevoel van tijd.

Een halfuur nadat ik de deur uit was gegaan, was Nardo naar ons huis gekomen. Een van de koeien had een ontsteking aan haar uier, en omdat hij heel veel te doen had en meteen weer terug moest naar de boerderij, had hij tegen mama gezegd dat ze mij naar de apotheek in Borgeto moest

sturen om een injectiespuit en het geschikte medicijn te kopen, die ik hem dan moest gaan brengen. En wel meteen!
Natuurlijk wist ik daar allemaal niets van. Pas een paar uur
later kwam ik in Partinico terug. Ik liet me door Angelo af-
zetten bij mijn schoonzuster Maria, bij het huis van Nardo
dus. Ik had bedacht dat ik tien minuutjes met haar zou gaan
babbelen, zodat ik een alibi had. Toen ik net naar binnen
wilde gaan, zag ik met enorme vaart een auto komen aanrijden, met daarin Nina en haar man. Mijn zus was zichtbaar
van streek. Ze leek volkomen buiten zinnen en brulde naar
me: 'Stap in! Stap in, valserik die je bent!'

'Wat is er? Wat is er gebeurd?' vroeg ik.

Nog zenuwachtiger dan daarvoor antwoordde ze: 'Rot-
meid, stap in de auto! Nardo is teruggekomen en hij staat je
bij je huis op te wachten met een stuk ijzerdraad! Dat wil hij
om je nek slaan om je te wurgen!'

Dat was hij echt van plan, daarover bestond geen twijfel.
Ik week dus uit naar het huis van Nina om een vluchtweg te
zoeken uit deze ellende, maar ik kon geen kant op. Mijn broer
zou geen enkele verklaring willen accepteren. Hij had me
overal gezocht en had me niet gevonden. Razend was hij.
Vaak genoeg had hij me al voor veel minder op een haar na
vermoord. Deze keer zou het echt gebeuren.

Toen besloot ik om er dan maar in m'n eentje vandoor te
gaan, om voorgoed uit Partinico te vertrekken. Het lot had
het zo gewild, en dan moest het ook maar. Ik zou ergens anders gaan wonen, een nieuw leven beginnen – dag allemaal!
Ik vroeg mijn zus om, zonder zich te vertonen aan mijn
broer, naar ons huis te gaan, daar wat kleren voor me op te
halen, die in een tas te doen en ze naar me toe brengen. Maar

Nina voelde daar helemaal niets voor. Ze zei dat als het dan zo was dat ik met Angelo naar zee was gegaan… als híj de aanstichter was van alles, dat hij dan ook zijn verantwoordelijkheid moest accepteren, dat ik niet alles alleen moest regelen, dat het niet alleen maar míjn schuld was… Maar dat idee stond me niet aan, ook al omdat ik Angelo niet in de problemen wilde brengen. Zijn familie was het er helemaal niet mee eens dat hij omging met een Vitale. Nog maar twee dagen geleden had zijn moeder hem midden op straat een klap in zijn gezicht gegeven omdat een vrouw haar was komen vertellen dat ze hem met mij samen had gezien. Maar Nina bleef aandringen. Voor de eerste keer in haar leven leek ze vastbesloten en onverzettelijk. Ze bleef zo lang op me inpraten dat ik uiteindelijk toch besloot om Angelo te bellen en hem te vertellen wat er was gebeurd.

Meteen kwam hij naar me toe. Hij bood niet aan om naar Nardo te gaan en hem alles uit te leggen… Dat was wel te begrijpen, maar natuurlijk niet direct een bewijs van grote moed. Hij stelde voor iemand anders te zoeken die met Nardo kon praten en die hem het idee van een officiële verloving kon voorleggen, van een keurige regeling van de zaak dus. Maar bij nader inzien leek het ons geen realistisch voorstel. We peinsden ons suf, maar konden geen oplossing bedenken die niet op een tragedie zou uitlopen. Er bleef maar één mogelijkheid over.

DE *FUITINA*

Als een muis in een val – zo voelde ik me bij Nina in huis, en aan Angelo had ik ook niet veel. Hij was óók bang. Dus vroeg ik aan Nina om bij mama thuis een koffer voor me in te pakken, want het enige wat ik nog kon doen was samen met Angelo een tijdje verdwijnen, in de hoop dat in die periode de woede van mijn broers wat zou bekoelen. Met een *fuitina*, een schaking in onderlinge overeenstemming tussen de jongen en het meisje, kon de eer van de familie nog worden gered... Zo deden veel mensen dat en iedereen wist het. Later heb ik er beter over nagedacht: als het meisje niet tegen haar wil werd meegenomen – en ook dat kwam voor – deed ze dat echt voor hém, net als alle vrouwen die er met hun geliefde vandoor gingen, en was ze bereid om desnoods de hele familie tegen zich te krijgen vanwege hun liefde. Maar ik was alleen maar geobsedeerd door mijn broers. Op dat moment dacht ik helemaal niet aan Angelo, maar aan Nardo, Michele en Vito... en aan mezelf. Ik voelde wel dat er iets niet goed zat: in plaats van vooruit te kijken, keek ik naar het verleden, en altijd met veel angst. Maar het enige wat ik op dat moment wilde, was dat er een einde kwam aan die nachtmerrie. Daarom zette ik andere gedachten uit mijn hoofd.

Angelo ging naar zijn eigen huis om wat kleren op te halen en om de auto van zijn ouders te leen te vragen. Nina ging naar mama en stopte daar allerlei spullen voor mij in een weekendtas. Ze zei dat 'niemand er iets van had gemerkt'. Dat heb ik nooit geloofd. Mama ontging niets. Geen denken aan dat die niet in de gaten zou hebben wat Nina aan het doen was en wat die tas te betekenen had. Maar ze hield haar mond, omdat ook zij wilde dat de nachtmerrie voorbij zou zijn. Nardo had tegen iedereen gezegd dat zodra ik me weer zou vertonen, ik meteen naar hem moest komen, en dat hij me dan zou opwachten met dat stuk ijzerdraad in zijn hand... Nee, er waren echt geen andere oplossingen, zo dacht mama er ook over.

Angelo en ik gingen er 's avonds, toen het donker was geworden, vandoor. In onze portemonnee hadden we 1.600.000 lire: 700.000 van Angelo, en 900.000 had ik geleend van een vriendin in Terrasini. We reden de hele nacht door. In Messina namen we de veerboot, en daarna reden we vanaf Reggio di Calabria over de autoweg via Rome en Florence naar Pisa. In Pisa woonde de vriendin van Angelo's broer, en na twee nachten in een hotel konden we bij haar komen logeren. Hoe ik me voelde? Ik weet het niet. Ik was moe, verward. Zo ver van huis voelden Angelo en ik ons als twee vissen op het droge... De vriendin van Angelo's broer was heel lief voor ons. We hadden haar de situatie uitgelegd. Maar niets kon ons ook maar enigszins opbeuren. Onze angst en ons schuldbesef waren met ons meegereisd en bleven ons ook hier kwellen. Wilden we echt hier op het vasteland blijven, wilden we echt voor altijd Sicilië en onze families achter ons laten? We hadden gehoopt een uitweg te hebben gevonden, maar we waren in nog grotere narigheid terechtgekomen.

De enige met wie ik af en toe belde, was Nina. Zij vertelde me hoe ze er thuis op hadden gereageerd, en vooral vertelde ze me over Nardo. Toen hij had gehoord dat ik ervandoor was gegaan, had hij van razernij veertig graden koorts gekregen, met vreselijke hoofdpijn erbij. Hij was gedwongen met koude kompressen op zijn voorhoofd in bed te liggen. Toch bleef hij maar razen en tieren. Hij voelde zich verraden, bedrogen, hij voelde zich 'voor lul gezet'. Daar had ik niet aan gedacht. Ik had verwacht dat de fuitina alles in orde zou brengen, de eer van de familie en de rest. Maar ik had er niet bij stilgestaan dat mijn vlucht Nardo zou kunnen schaden. Het ging er niet meer om dat hij me altijd als zijn dochter had beschouwd… Of misschien had het feit dat ik zijn bezit was er ook wel mee te maken, maar wat hem het meest dwarszat, was dat de mensen nu konden denken dat hij me niet onder de duim kon houden. Als hij de *fimmine*, de vrouwtjes in huis, niet onder de duim kon houden, wat voor man was hij dan? Wat voor 'man van eer'? Nardo was namelijk flink aan het opklimmen in Cosa Nostra en zo'n akkefietje als met mij kon hij op dat moment absoluut niet gebruiken. De mensen konden gaan denken dat als zijn zus hem voor lul kon zetten, anderen dat dan ook konden doen… En verder: hoe minder er over de Vitales gepraat werd, des te beter. En nu gingen we juist overal over de tong. Overigens vertelde Nina me dat Nardo, precies in de periode van mijn vlucht, ook hevige ruzie had met Michele, over diens verkering met Anna uit Terrasini. Kortom, onze hele familie bezorgde hem problemen. En ook wel andere 'families', trouwens.

Er heerste een eigenaardige sfeer op Sicilië. Op 21 september, nog geen twee weken na mijn vlucht, had Cosa Nostra Rosario Livatino vermoord, een nog heel jonge rechter die in Agrigento werkte. Voor ons betekende dat gewoon 'een smeris minder', maar de kranten schreven dat deze 'rechter die nog maar een jongen was' als een beest was afgeslacht. Ergens op een afgelegen weg hadden ze hem met zijn auto tot stoppen gedwongen, waarna hij er rennend vandoor was gegaan. Ze hadden hem achtervolgd en doodgeschoten. Maar wat het meeste schandaal veroorzaakte, was dat hij geen enkel escorte bij zich had. In Rome hadden politici wel twee of drie auto's escorte, maar Livatino had het moeten doen met helemaal niets. En dus waren alle Siciliaanse rechters woedend en ze dreigden met een staking als de politiek geen maatregelen zou nemen om hen beter te beschermen. Dat de smerissen er even geen zin meer in hadden, vond niemand natuurlijk erg. Maar wél vervelend was al dat gedoe met de politiek. Cosa Nostra was toen net in afwachting van een uitspraak in cassatie over de vonnissen van het eerste maxiproces, en politici moet je zo veel mogelijk met rust laten.

Ze hebben me na mijn arrestatie heel vaak gevraagd of ik iets wist over banden tussen de maffia en de politiek. Nee, daar weet ik niets van, maar thuis zong dat verhaal over de politiek altijd wel rond. Je wist ervan, maar je mocht er niets van weten… Het was net als met de Maagd Maria: als er helemaal geen redding meer mogelijk was, als het er echt heel beroerd uitzag, was er nog één hoop: de politiek. En bij dat maxiproces was wel meer nodig dan de Maagd Maria! Onderzoeksrechter Falcone is degene geweest die, samen met zijn vriend en collega Borsellino, het allemaal heeft opgezet, nadat don Masino, oftewel Tommaso Buscetta en Totuccio Contorno waren gaan praten. 8607 pagina's aanklachten hadden die rechters geschreven, en toen het maxiproces begon, waren er 474 gedaagden. Iets dergelijks was nog nooit vertoond. Nog nooit was er in Palermo zo'n enorme rechtszaak tegen de maffia geweest, en nooit hadden rechters in zo'n hoog tempo gewerkt. Het begon op 10 februari 1986 en op 16 december 1987 was het al afgelopen. Er volgden 360 veroordelingen uit, met een totaal van 2665 jaren celstraf, de veroordelingen tot levenslang niet meegerekend... En 'die van ons' zaten er allemaal bij: Totò *'u curtu* Riina, Bernardo *'u tratturi* Provenzano en Luciano *Lucianeddu* Liggio. Nooit had Cosa Nostra beseft dat het zo zou kunnen aflopen. Ze gingen ervan uit dat het allemaal weer een zeepbel zou blijken te zijn. Ze begrepen dat, na de maffiaoorlog met al die moorden, een proces onvermijdelijk was, maar waren ervan overtuigd dat daarna, in hoger beroep of in cassatie, alles weer in orde zou komen. Zo was het in het verleden immers altijd gegaan. En in de tussentijd werden, om even een signaal te geven, op 25 september 1988 rechter Antonio Saetta en zijn zoon vermoord. Toch bleken de verwachtingen van Cosa Nostra niet helemaal ongegrond, gezien het feit dat in 1990 het gerechtshof van Palermo in hoger beroep een aantal vonnissen seponeerde, al waren dat niet de levenslange gevangenisstraffen van 'onze mannen'. Ook weerlegde dat hof wat in de kranten 'het theorema-Buscetta' was gaan heten: het idee dat Cosa Nostra één groot compact blok was, met één klein groepje aan de top dat bepaalde wat er gedaan moest worden, wie er vermoord moest worden en wie niet... En zo werd alles doorgestuurd naar het Hof van Cassatie, waar de echte wedstrijd gespeeld zou worden. Zo was de sfeer in die herfst van mijn fuitina, en we konden toen nog niet weten wat er in 1992 zou gebeuren, toen het Hof van Cassatie de Palermitaanse hogerberoepuitspraken verwierp, alle oorspronkelijke veroordelingen weer bekrachtigde en 'het theorema-Buscetta' – het beeld van de maffia met één kleine leidersgroep dus – weer geldigheid toeschreef.

Er ging dus heel veel door mijn hoofd daar in Pisa, maar ik kon er met niemand over praten, ook niet met Angelo. Tot op de dag van vandaag vraag ik me af wat Nardo in die dagen nou precies heeft gedacht. Of de koorts die hij had gekregen door mijn fuitina alleen maar te maken had met hemzelf en zijn positie in Cosa Nostra, of dat hij ziek was geworden omdat hij van me hield en niet lang zonder me kon. Feit is in elk geval dat toen zijn eigen dochter Maria er op haar achttiende ook vandoor ging met haar vriendje, Nardo daar veel minder heftig op reageerde.

Vanuit Pisa gingen Angelo en ik naar Giuseppe in Bologna, die zoals altijd heel vriendelijk en gastvrij was. Maar ook daar konden we geen rust vinden. Hoe langer we op de vlucht waren, des te meer werd de gedachte aan terugkeer naar Partinico en de reactie van mijn broers een obsessie. We hoopten maar dat iedereen inmiddels een beetje zou zijn afgekoeld. We bleven dan ook een volle maand weg voordat we besloten weer naar het dorp terug te keren. We gingen naar het huis van Angelo, omdat de kwaadheid van mijn toekomstige schoonmoeder ons minder angst inboezemde dan die van mijn broers. Maar zodra we bij de Caleca's over de drempel waren gestapt (Angelo heet Caleca van zijn achternaam), gaf ze hem wel twee klappen in zijn gezicht, waarbij ze alleen maar zei: 'Heel goed, hoor! Complimenten!'

Tegen mij zei ze helemaal niets, alsof ik lucht was. Maar door de manier waarop ze me steeds tersluiks aankeek, begreep ik heel goed dat als ze de kans had gehad me te vermoorden, ze dat graag had gedaan. Ook dat heb ik nooit kunnen begrijpen: ze was toch zelf ook een Siciliaanse vrouw? Droeg ik dan alle schuld? Vrouwen tellen nooit mee, maar ze moeten wel altijd de schuld op zich nemen. En zo denken andere vrouwen er ook over.

Hoe het ook zij, we moesten wel daar blijven, want naar míjn huis kon ik niet. Nardo, Michele en Vito wilden niets meer van me weten, dat bazuinden ze overal in het dorp rond. Maar was dat wel echt zo? Ik hield nog steeds van ze, en het leek me gewoon onmogelijk dat zij opeens niet meer van mij hielden. Natuurlijk, ze zouden het me betaald zetten, maar dat nam niet weg dat we altijd broers en zus bleven die van elkaar hielden.

De gedachten die ik toen had, kwamen weer bij me terug in 2005, toen ik in de gevangenis besloot met justitie te gaan samenwerken. Nardo zat in die periode ook in de gevangenis en heeft me, toen hij hoorde over mijn beslissing, openlijk verstoten als zuster. Voor hem ben ik een 'giftig insect' geworden, waarmee de familie niets meer te maken wil hebben. Maar misschien was dat wel de enige manier om de rest van de familie te beschermen. Dat was zijn manier om te laten zien dat voor hem de familie heel belangrijk is, en dat hij die wil beschermen tegen de wraakacties die altijd volgen als een 'smerige verrader' is gaan praten. En ik vraag me af: als hij er toen, na mijn fuitina, uiteindelijk toch overheen kon komen, waarom kan hij dat nu dan ook niet?

Tot drie maanden na mijn vlucht met Angelo hebben mijn broers niet met me willen praten en me niet willen zien. En ik zat maar bij Angelo thuis en voelde me vreselijk... Ik voelde dat ik daar niet gewenst was, dat ook zij niet goed wisten wat ze moesten doen, dat ze op straat werden nagekeken, dat er werd gekletst... Ik probeerde de moeder van Angelo zo veel mogelijk te helpen en haar een beetje op te vrolijken door met haar te praten... Er kwam niets terug, het was alsof ik tegen een muur sprak. Dus hield ik me maar vast aan Angelo, die in die periode de enige was die me niet haatte. Maar ook hij had het moeilijk. Hij was bang voor de Fardazza's, en dat kon ik natuurlijk begrijpen.

Op een ochtend was ik met de vader van Angelo aan het praten voor het huis. Hij stond in de deuropening en ik zat buiten op een stoel. Angelo's vader praatte altijd wél gewoon met me, en daarom was ik altijd heel aardig tegen hem. Dus vroeg ik hem op een bepaald moment of hij een kopje koffie wilde. Ik maakte al aanstalten om op te staan en binnen koffie te gaan zetten, toen ik uit mijn ooghoek aan het eind van de straat een vrachtwagen zag komen aanrijden. Het was een wagen voor veevervoer, en naarmate hij dichterbij kwam, voerde de chauffeur de snelheid steeds verder op. Alles gebeurde in een paar seconden, maar toch zag ik dat het een van de vrachtwagens van mijn broers was en dat Vito achter het stuur zat. Toen hij vlak bij mij was, liet hij de motor keihard loeien en schoot hij vol gas op me toe. Ik kon nog net op tijd wegspringen toen de vrachtwagen over mijn stoel reed en die volkomen verbrijzelde. Stukken hout met zich meeslepend scheurde hij daarna verder tot de zijstraat, waar hij afsloeg en uit het zicht verdween.

Het was allemaal zo snel en zo gewelddadig gebeurd dat mijn toekomstige schoonvader en ik met stomheid waren geslagen. We wisten niets tegen elkaar te zeggen. Wat hadden we ook kúnnen zeggen? Zo gedroegen mijn broers zich nu eenmaal, en er was niets aan te doen. Dus besloten Angelo en ik te gaan trouwen. Dan zou onze relatie in elk geval officieel zijn. En als de mensen daarna ophielden met roddelen, zouden Nardo, Michele en Vito misschien weer met me willen praten. Ik kon me gewoon niet voorstellen dat ik voor hen niet meer zou bestaan, dat ze niet meer van me zouden houden.

De voorbereidingen voor de bruiloft gaven me in elk geval een beetje afleiding. In die periode kregen mijn beide schoonouders problemen met hun gezondheid en werden ze opgenomen in het ziekenhuis. Zo konden Angelo en ik een maand lang rustig met z'n tweeën zijn, zonder al die mensen om ons heen. Misschien is dat wel onze gelukkigste tijd samen geweest.

De vader van Angelo kwam weer thuis, en op een ochtend, toen ik met hem meeging naar de huisarts voor een controle, kwam ik Nardo tegen. De praktijk van die dokter was dicht bij het politiebureau, en toen ik daar voorbijliep, zag ik een stilstaande auto met iemand op de bestuurdersplaats. Dat was Nardo, die, zoals hij altijd deed als hij onder toezicht was gesteld, daar zat te wachten tot hij een handtekening kon zetten in het politieregister. Hij had toen al zijn eerste levenslang te pakken voor een moord in de provincie Trapani van een paar jaar eerder. In afwachting van het proces in hoger beroep was hij op vrije voeten, maar hij moest wel elke dag op het politiebureau dat register gaan tekenen. Er ging een schok door me heen en zonder lang na te denken stapte ik naar zijn auto en zei door het raampje: 'Zeg, luister 'ns, gaat die onzin nog lang duren?'

Hij keek me niet eens aan en zei met strakke lippen: 'Sodemieter op!'

Maar zo liet ik me niet afschepen. Ik hield aan.

'Luister nou. Wat gebeurd is, is gebeurd. Gedane zaken nemen geen keer. Het heeft geen zin om nog langer kwaad op me te blijven. En je weet toch dat ik gek op je ben... dat ik niet zonder je kan...?'

Hij antwoordde: 'O nee? En als je niet gek op me was geweest, wat had je dan gedaan? Heel goed, hoor! Complimenten!'

Toen trok ik het portier open, stapte in de auto en sloeg mijn armen om zijn hals.

'Kom op, geef me een zoen...'

Het duurde even, hij wilde ongenaakbaar blijven, maar uiteindelijk smolt hij toch en gaf hij me een zoen. Dus vroeg ik: 'Mag ik nu weer naar huis komen?'

'Oké, kom vanavond maar naar mijn huis... en neem je man ook mee.'

Het was zover, ik kon het bijna niet geloven: het was weer goed tussen Nardo en mij, de nachtmerrie was voorbij. Toen Angelo en ik die avond bij hem thuis kwamen, gedroeg hij zich alsof er niets was gebeurd. Hij had taart en ander lekkers voor ons, en je kon merken dat hijzelf ook opgelucht was. Hij maakte zelfs een grapje over mijn fuitina. Maar het allermooiste moment kwam na het eten. We zaten op de bank en toen ging hij opeens met zijn hoofd in mijn schoot liggen, net zoals hij altijd deed toen we nog bij mama woonden. Alles leek weer als vroeger – tenminste, wat Nardo betreft, want Vito wilde nog steeds niets van me weten. Als hij niet in de gevangenis zat, woonde hij weer bij onze ouders, alleen maar om mij te beletten die te zien. Maar lang kon het zo niet duren: als Nardo weer vrede met me had gesloten, konden de andere twee niet doorgaan met hun oorlog tegen mij. En dat bleek te kloppen.

Van lieverlee begon zowel Vito als Michele weer normaal tegen me te doen, en op 27 april 1991, toen ik trouwde in de grote kerk van Partinico, waren mijn broers er alle drie. Het was een uniek moment, dat later nooit meer is teruggekomen. Nardo stond toen onder toezicht en mocht zich niet buiten Partinico begeven, Vito zat even niet in de gevangenis, en Michele had in die periode helemaal geen problemen met justitie. Op de foto van de bruiloft zien zij er ook heel gelukkig uit. Alle drie staan ze dicht bij me. Het lijkt wel of de tijd toen even tot stilstand was gekomen... Er hangt een eigenaardige rust om ons heen... En op Sicilië weten we dat zo'n eigenaardige rust altijd wordt gevolgd door een aardbeving.

KANNIBALEN

Dik, ik was heel dik geworden: dertig kilo erbij – allemaal ongelukkigheid. Omdat we zelf nog geen huis hadden, bleven Angelo en ik na ons trouwen bij zijn ouders wonen. Maar de situatie werd er niet beter op, integendeel. Mijn schoonmoeder maakte me het leven zuur, ze hield absoluut niet van me. Ze kon me maar niet vergeven dat ik haar zoon bij haar had weggehaald. Of misschien – eigenlijk is het wel zeker – kon ze me niet vergeven dat ze via mij nu familie van de Vitales was geworden. En dat terwijl ik juist zo lief mogelijk voor haar was. Ik had toen ze was opgenomen voor een longembolie zelfs bloed voor haar afgestaan... Niets kreeg ik ervoor terug. Met mijn schoonvader kon ik wat beter opschieten, maar eigenlijk voelde ik me bij niemand daar helemaal op mijn gemak. Het was absoluut niet zoals ik bij mama thuis gewend was, en al snel kreeg ik ook steeds meer ruzie met Angelo.

Kerstmis 1991 kan ik me nog heel goed herinneren, omdat hij me toen, nadat we onenigheid hadden gehad, een bos sleutels in mijn gezicht gooide. Ik had geklaagd over zijn moeder en hij had kritiek op mijn broers en op mijn gehechtheid aan hen. Nardo was weer begonnen mij te bellen en me te vragen bepaalde dingen voor hem te doen of om met hem mee te gaan naar de boerderij. Ik vond dat alleen maar fijn, niet alleen omdat ik veel van hem hield, maar ook omdat het leek of hij na mijn vlucht meer respect voor me had gekregen. Hij behandelde me niet meer als een kind. Niet dat ik als een gelijke met hem kon praten of tegen hem in kon gaan, dat niet. Ik moest hem gehoorzamen zoals ik altijd had gedaan. Maar toch had ik het gevoel dat ik promotie had gemaakt. Vito zat weer in de gevangenis, in Trapani, en dus moest ik telkens bij hem op bezoek om hem alles te brengen wat hij nodig had en de zaken met de advocaten te regelen… Natuurlijk, hij had ook een vrouw, maar voor echt belangrijke dingen kwam zowel Nardo als Vito altijd bij mij, en dat beviel mijn beide schoonzusters allerminst. Ook Angelo beviel dat niet. Hij kwam er al snel achter dat hij, ook al waren we dan getrouwd, ná mijn broers kwam. Als Nardo, Vito of Michele me voor iets nodig had, rende ik meteen weg, ook al stond ik net de pasta af te gieten of had ik mijn pyjama al aan om naar bed te gaan. Ik liet dan alles uit mijn handen vallen en haastte me naar ze toe. Mijn man probeerde soms wel wat te sputteren of te protesteren, en soms kwam er ook echte ruzie van, maar het hielp allemaal niets: ik rende altijd weer weg naar mijn broers, die me waarschijnlijk met opzet telkens lieten opdraven omdat Angelo niet was zoals zij, omdat ze geen respect voor hem voelden. Dit was hun manier om hem dat duidelijk te maken. Ik was hun bezit en niet het zijne, ook al was ik dan inmiddels zwanger geraakt.

Het was eind 1991 en toen ik het merkte, kon ik het eigenlijk niet geloven. Ik had een gynaecologische kwaal gehad en moest hormonen slikken. Er was me gezegd dat het daarmee moeilijker was om zwanger te worden. Of dat waar was of niet, in elk geval verwachtte ik nu een kind en van die hormonen werd ik almaar dikker. Ook begon ik steeds meer te eten. Ik at overdreven veel en kwam soms wel een kilo aan in krap twee dagen. Ik was mezelf niet meer. Ik gedroeg me nog steeds als een kwajongen. Zoals ik al heb gezegd, bleef ik gewoon paardrijden en motorrijden. Maar ik was dan ook nog heel jong – twintig jaar – en ik kon me niet voorstellen dat ik niet gewoon kon doorgaan met wat ik altijd had gedaan alleen maar omdat ik nu getrouwd was en een kind verwachtte. Aan de ene kant was ik nieuwsgierig naar het kind dat ik in me droeg en wilde ik het graag leren kennen, maar aan de andere kant was ik erg bang, en niet alleen voor de bevalling. Ik dacht aan mezelf, aan wat voor persoonlijkheid ik had, en daarna dacht ik aan mama; ik leek absoluut niet op haar en ik vroeg me af of ik nu ook zou worden als zij. Daar voelde ik helemaal niets voor.

En met wie kon ik over dit soort dingen praten? Ja, over de bevalling vroeg ik wel eens iets aan buurvrouwen of aan Nina, maar daar schoot ik niet veel mee op. Maar over hoe het met mij ging, over het feit dat ik me zo ongelukkig en verloren voelde – met wie kon ik daarover praten? Met mama en papa in elk geval niet, en met mijn broers nog minder; mijn schoonmoeder haatte me, en met Angelo draaide het altijd uit op ruzie, ook al omdat we elkaar nauwelijks kenden. Dus bleef alleen Nina over, maar ook zij begreep me maar half. Voor haar waren de dingen of zó of zó, zwart of wit, en wat haalde ik me wel niet allemaal in mijn hoofd…? Ik was nu getrouwd en ik verwachtte een kind. Als dat eenmaal geboren was, zou er écht werk aan de winkel voor me zijn, en zou ik geen tijd overhebben voor dit soort buien…

Wat nou buien? Ik voelde me echt heel slecht, en vaak kon ik zelfs aan mezelf niet uitleggen waarom. En ook was ik heel erg kwaad, vooral op mijn schoonzusters, die er met hun geroddel alles aan deden om tweedracht te zaaien tussen mij en mijn broers. Misschien waren ze jaloers, of gewoon gemeen, maar ik had het gevoel dat ze me iets betaald wilden zetten waarvan ik niet eens wist dat ik het had gedaan. Zoals die keer dat Nardo en Vito, die weer uit de gevangenis was, iemand naar mij toe stuurden om te zeggen dat ik, samen met mama en Nina, bij hen moest komen op de boerderij. Het was duidelijk dat het om een bevel ging, en dat beloofde niet veel goeds. Dus vroeg ik ook Angelo mee te gaan, ook al omdat ik vier maanden zwanger was. Maar ik zei heel duidelijk tegen Angelo dat hij op de achtergrond moest blijven en dat hij, als we er eenmaal waren, in geen geval dichtbij moest komen. Ook tegen Nina zei ik dat ze haar man uit het zicht moest houden; die bestuurde namelijk hun auto. Denk maar niet dat deze manoeuvres aan de aandacht van Vito konden ontsnappen. Hij zag ons aankomen en begreep heel goed dat onze mannen niet uit de auto stapten omdat wij hun dat hadden gevraagd. Mama, Nina en mij begroette hij met een dreigement.

'Jammer dat die kerels niet meekomen. Die had ik ook wel even onder handen willen nemen!'

Nardo was minstens even kwaad en allebei begonnen ze tegen ons uit te varen over iets wat hun vrouwen hadden verteld. Wij begrepen niet waar ze het over hadden, en ook nu kan ik me niet herinneren waar het over ging. Ze gingen steeds verder in hun bedreigingen, en mama probeerde Nardo tot rede te brengen.

'Zie je niet dat je zus zwanger is? Kan zelfs dat je niks schelen? Laat haar toch met rust. Denk toch aan haar toestand... Doe het voor het kindje dat geboren moet worden...'

Ook ik had er schoon genoeg van, en voor Nardo kon antwoorden, provoceerde ik hem openlijk.

'Ach, denk je dat ik hem wat kan schelen? Zijn schoonzus Mariella, díé kan hem wat schelen, díé is pas belangrijk voor hem!'

Nou, toen was de beer los! Nardo raakte helemaal buiten zinnen en greep het eerste wat hij in handen kon krijgen: een dik stuk wijnrank. Daarmee gewapend kwam hij als een wildeman op me af. Hoe weet ik niet, maar mama en Nina slaagden erin hem tegen te houden, maar toch gaf hij me nog een harde klap midden in mijn gezicht. Het voelde aan alsof ik met een knuppel werd geslagen. Twee weken lang heb ik daar een blauwe plek gehad en nooit heb ik geweten waar al die opwinding om te doen was.

Toen werd Francesco geboren en slaagde ik er een tijdje in de vele nachtmerries van me af te zetten. Hij woog 3200 gram, was heel lang en had twee enorme ronde ogen, die me verbaasd aankeken. Iedereen die hem zag smolt onmiddellijk. Ik, die kleine Giuseppì, was moeder geworden. En een jaar later, in augustus 1993, werd Rita geboren en werd ik voor de tweede keer moeder. Natuurlijk was ik heel gelukkig. Nu voelde ik echt dat ik een eigen gezin had. Mijn schoonmoeder kon me niets meer schelen en mijn schoonzusters ook niet. Maar mijn broers kon ik niet uit mijn hoofd zetten, ook al had ik het gewild.

De grootste ellende voor de Vitales heette '416 bis'. Dat is het artikel in het Italiaanse wetboek van strafrecht waardoor je regelrecht naar de gevangenis gaat als je lid bent van een syndicaat voor georganiseerde misdaad. Eerst overkwam dat Michele, daarna Vito. Michele raakte verstrikt in een rechtszaak in Bologna tegen de oom van Totò Riina, Giacomo Riina. Ze zeiden dat Michele contact met die Giacomo had gehad. Dat was niet waar, het ging om iemand anders die ook Michele Vitale heette. Maar voordat dat duidelijk werd, zat mijn broer vele maanden in de gevangenis. Wat Vito betreft: toen er voor de zoveelste keer een arrestatiebevel tegen hem was uitgevaardigd, had iemand hem op tijd kunnen waarschuwen en was hij ondergedoken – al heeft dat niet lang geduurd. Hij had zich verstopt in Biddiemi, dicht bij papa's grond in Baronia, ergens langs de weg tussen Partinico en San Giuseppe Jato. Het is daar vlak, maar in de richting van de Mirto-bergen gaat het stijgen. Vito had twee grote sintbernardshonden met zich meegenomen. Die had hij ooit gekregen van een zekere Rocco uit Rome, van wie hij wel eens schapen kocht. Toen hij ze mee naar huis nam, waren het nog maar kleine puppy's. Overal liepen ze achter hem aan en ze waren erg aan hem gehecht. Ze jankten zelfs als ze hem niet konden vinden. En dus had hij besloten ze mee te nemen naar Biddiemi; Vito houdt trouwens heel veel van dieren. Thuis hadden wij wel iets anders aan ons hoofd dan honden: we moesten meteen komen opdraven als Vito ons nodig had, hem brengen wat hij wilde hebben en vooral onze ogen en oren goed openhouden, zodat hij er zeker van kon zijn dat niemand hem zou komen zoeken.

Op een ochtend zagen we opeens een hele vloedgolf politiebusjes Partinico binnen rijden. Er zaten carabinieri in uniform en burgerkleding in, en er waren er zelfs een paar met bivakmutsen op. Het was echt een indrukwekkend leger. Nog nooit had ik zoveel carabinieri bij elkaar gezien. Meteen begrepen we dat ze op weg waren naar de schuilplaats van Vito, en dus ondernamen mama, Nina en ik onmiddellijk actie. We waren niet zozeer bang dat ze hem zouden oppakken als wel dat ze hem zouden verwonden of doden. In dit soort situaties zijn er namelijk altijd wel politiemensen met een nerveuze vinger aan de trekker van hun pistool. Elke keer als hij moest onderduiken, zei mama tegen hem: 'Wees voorzichtig. Als ze je vinden, ren dan niet weg. Probeer niet weg te vluchten. Ook al pakken ze je, geef je gewoon over.'

Misschien had Vito die dag besloten om mama's raad op te volgen, want toen we in Biddiemi aankwamen, hadden ze hem al gepakt. We zagen hem met handboeien om voorbijkomen op de achterbank van een jeep die langzaam de zandweg afdaalde. Ons geheugen werkt op een rare manier: van die dag herinner ik me natuurlijk dat leger van carabinieri, maar meer nog herinner ik me de honden van mijn broer. Jankend en jammerend bleven die de jeep volgen waarin ze Vito wegreden; ze wilden hem niet loslaten. Eén in het bijzonder leek wel aan de jeep te zijn vastgeplakt. En hoewel Vito hem toebrulde dat hij weg moest gaan, bleef hij er maar achteraan lopen, terwijl hij hartverscheurend jankte. Die hond begreep dat er iets heel ergs met zijn baas gebeurde en hij kon dat niet aanvaarden. Hij zag er zo zielig uit dat de carabinieri mijn broer toestonden om even uit te stappen om het beest te kalmeren en hem ertoe te brengen terug te gaan.

Wij hebben de honden toen mee naar ons huis genomen, maar ze wilden niet eten en met de dag werden ze zwakker. Binnen een maand waren ze allebei dood en nog steeds heb ik daar verdriet van. Voor mij vormen die beesten een eenheid met Vito, en als ik terugdenk aan die dag weet ik niet meer of ik nou huilde om mijn broer of om zijn honden. Wat ik nog wel weet is dat ik door dat hele gebeuren de rancune en woede die Vito zo vaak in me had opgewekt volledig vergat. Voor mij werd hij weer mijn broer, die ten onrechte vervolgd werd door justitie. Als ik aan hem dacht, zag ik alleen nog maar mooie dingen… Zijn dierenliefde, bijvoorbeeld. Maar ook iets wat lang geleden was gebeurd en wat ik al bijna was vergeten.

Een keer waren we samen naar de rechtbank in Palermo gegaan voor een proces waarbij Nardo betrokken was. Op de stoep van het gebouw zat een zigeunerin te bedelen, met twee heel kleine kinderen bij zich. We hadden het in die tijd niet breed, veel geld was er niet, maar Vito gaf die vrouw alles wat hij op zak had: een briefje van 50.000 lire. Ik kon het nauwelijks geloven en vroeg hem: 'En wat moeten wij nu dan?'

Rustig antwoordde hij: 'Maak je geen zorgen… Zij daar heeft het nu harder nodig dan wij.'

In die bezorgdheid om Vito, in die angst, speelde nog iets anders mee, waaraan ik eigenlijk nooit wilde denken, maar dat vanbinnen voortdurend aan me knaagde… Natuurlijk, we hadden te maken met de smerissen, met die justitie die voor ons gevoel absoluut niet rechtvaardig was en die hem zomaar bij ons kon weghalen. Maar dat soort dingen maakte ons alleen maar nog kwader en bracht ons nader tot elkaar. Zo zagen we duidelijk waar het gevaar vandaan kon komen: aan de ene kant stonden zij, de smerissen, en aan de andere kant stonden wij. Maar in de Cosa Nostra van Totò Riina lag het anders. De Vitales hoorden bij de Corleonezen, maar dat was niet genoeg. Bij Riina moesten we ons uiterste best doen om te laten zien dat wij sterker waren dan de Geraci's of de Lo Iacono's in Partinico. Maar daarin moest je ook weer niet te ver gaan… Ook al was je één van zijn mannen, hij liet je gewoon omleggen als hij vond dat je wat te veel praatjes had gekregen. En ook in de gevangenis was je niet veilig, want ook daar kon hij je om zeep laten helpen… Allemaal kenden we tenslotte het verhaal van Pino 'Scarpuzzedda' Greco en Puccio. Dat verhaal is later ook aan justitie verteld door een andere 'smerige verrader': Francesco Marino Mannoia, 'de man die heroïne maakte voor de weggevluchte maffiosi', de man dus die morfine verwerkte voor de Badalamenti's, de Bontades, de Inzerillo's. Nardo en Vito spraken er niet over, maar ze wisten heel goed dat Totò Riina na de grote maffiaoorlog was begonnen de mannen te vermoorden die hem eerder hadden geholpen de Palermitanen uit de weg te ruimen die niet aan zijn kant stonden. Pino 'Scarpuzzedda' Greco hoorde bij de clan van 'de paus': Michele Greco. Pino Greco had tientallen mensen vermoord en zich daarmee opgewerkt tot maffiabaas van Ciaculli. Hij was ook degene geweest die Stefano Bontade, 'de Valk', had doodgeschoten, en ook Salvatore Inzerillo. Als Totò Riina iemand nodig had die hij echt kon vertrouwen, liet hij het Pino Greco doen. En dus zat Scarpuzzedda ook achter 'Operatie Carlo Alberto', waarbij op 3 september 1982 generaal Dalla Chiesa en zijn vrouw om het leven kwamen. Voor zijn mannen was Pino een mythe geworden. Over hem deden heel veel verhalen de ronde, al weet ik niet of ze waar zijn. Er werd gezegd dat hij, voor hij de zoon van Salvatore Inzerillo doodde, eerst diens rechterarm afgesneden had, omdat 'die ellendeling' had gezegd dat hij Totò Riina graag met zijn eigen handen zou willen vermoorden... En dat hij bij de aanslag op Dalla Chiesa in Palermo op een auto was geklommen, omdat hij zo beter op de generaal kon mikken... Dat soort dingen. Zeker is dat de mannen om hem heen hem adoreerden, maar voor Riina was Scarpuzzedda te groot en te ambitieus aan het worden. Hij rekruteerde zelfs mannen zonder het tegen zijn baas te zeggen, net zoals Riina zelf gedaan had toen hij nog 'een boer met modder aan zijn poten' was. En daarom liet Riina hem in 1985 uit de weg ruimen door Pino's twee beste vrienden: Giuseppe Lucchese en Vincenzo Puccio. Dat was een heel gewaagde onderneming, niemand mocht ervan weten. Ze probeerden het gerucht te verspreiden dat Scarpuzzedda naar Amerika was gevlucht.

Maar Puccio wist hoe de vork in de steel zat en zal gedacht hebben: morgen is het misschien mijn beurt... Als je je eigen vrienden niet meer kunt vertrouwen, en ook je eigen bendeleden niet, waar blijf je dan? Ik weet niet precies waarom, maar toen Puccio een jaar later in de Ucciardone-gevangenis was terechtgekomen, heeft hij het plan opgevat om Totò Riina te vermoorden. Er waren mensen die zeiden dat de methodes van Riina Puccio niet bevielen, dat hij vond dat Riina een soort kannibaal was geworden die zijn eigen kinderen opvrat, en dat hij gestopt moest worden. Maar anderen zeiden dat Puccio een hekel aan Riina had gekregen omdat die te veel onderscheid maakte tussen zijn mannen:

degenen die hem na aan het hart lagen – zoals de Madonia's uit San Lorenzo, de Ganci's uit de Noce-wijk van Palermo, de Montalto's uit de Uditore-wijk, de Gambino's uit Resuttana of de Brusca's uit San Giuseppe Jato – behandelde hij veel beter. Als die in de gevangenis terechtkwamen, zorgde Riina ervoor dat ze als vorsten konden leven, zij en hun familie. Maar dat deed hij niet voor kleinere jongens, zoals Puccio, hoewel die na de dood van Scarpuzzedda toch maffiabaas van Ciaculli was geworden. Hoe het ook zij: op 11 mei 1989 hebben ze Vincenzo Puccio in de Ucciardone-gevangenis vermoord.

En Nardo en Vito? Was dit het lot dat ook hun wachtte?

DE UNIVERSITEIT

Het probleem was dat ze ons nooit iets vertelden. Maar de mensen roddelden, en dan had je natuurlijk ook nog de radio en televisie. De kleine Siciliaanse omroepen waren de gemeenste van allemaal... Ik moest alles weten en tegelijk niets weten, alles opmerken maar net doen alsof er niets gebeurde. Maar toen Vito uit de gevangenis van Trapani kwam, was hij veranderd. Tot dat moment had hij zich altijd laten commanderen door zijn oudere broer Nardo, maar nu leek hij veel sterker, veel zelfverzekerder, en dat wilde hij maar al te graag laten zien.

Er was iemand voor wie hij zich nu erg inspande, en dat was Antonino Greco. Dat was al een vriend van Vito. Het was degene die hij me als zijn 'collega' had voorgesteld de keer dat hij op de boerderij was gekomen, toen ik daar helemaal bezweet en vuil voor ze stond en Vito had gezegd dat ik beter was dan een jongen... In de gevangenis van Trapani had Vito de vader van Antonino leren kennen, Lorenzo, en die had Vito gevraagd zijn zoon bij te staan. In Alcamo, hun dorpje bij Trapani, was Lorenzo in ongenade gevallen bij de Milazzo-clan, en omdat zij de baas waren in Alcamo, was Antonino in gevaar. En dus waren Vito en hij altijd samen. Ze gingen samen op stap en waren onafscheidelijk. Ik weet niet of Antonino een oogje op mij had, maar de mensen dachten van wel, omdat hij altijd maar bij ons was – bij de Vitales, bedoel ik. In elk geval interesseerde het mij niet en mijn broer wilde er geen woord over horen: ik was getrouwd, en nog belangrijker was dat onze familie niet over de tong ging, zeker niet in deze periode.

In de gevangenis van Trapani had Vito nieuwe vrienden en bondgenoten gemaakt onder de maffiosi. Het leek wel of hij naar de universiteit was geweest... Ook hij begon carrière te maken in Cosa Nostra, al hadden wij het thuis tot op dat moment nog niet echt in de gaten. De grote man was Nardo, hij was degene die de leiding had. Tot ik op een ochtend bij het huis van mama Vito met drie andere mannen zag komen aanrijden in een blauwe Fiat 127. Vito zat achterin naast een man met een ernstig gezicht, een dikke bos haar, zware wenkbrauwen en een staalharde blik in zijn ogen. Door de manier waarop Vito hem aan ons voorstelde, begreep ik meteen dat het iemand van groot aanzien was. Vito noemde hem uit respect *zu* – oom – Luchino.

We nodigden hen uit binnen te komen en boden ze, zoals dat hoort, koffie en koekjes aan... Ze waren allemaal erg aardig. Terwijl we babbelden over koetjes en kalfjes, sprak zu Luchino opeens zijn bewondering uit voor de trofee die onze merrie Orfanella had gewonnen in Alcamo, die beker van donker brons met de jockey en de geornamenteerde pilaartjes die in de huiskamer stond en die ik zo mooi vond... Hij zei tegen mijn moeder: 'Wat is die mooi... Die is echt heel mooi!'

Mama dacht geen seconde na en zei meteen: 'Die is voor u! Neemt u hem maar mee!'

Hij probeerde het aanbod nog af te slaan, maar mama hield zo lang aan dat hij hem uiteindelijk wel moest aannemen. Ik had haar wel kunnen vermoorden... Maar wie kon iets weigeren aan Leoluca Bagarella, bijgenaamd Luchino, de broer van Ninetta Bagarella, de vrouw van Totò Riina? Zu Luchino was de zwager van Riina, en ook zijn rechterhand. En hier was hij dan, gewoon bij ons thuis.

Ook de andere twee waren grote jongens, maar dat hoorde ik pas later. De ene had grijzend haar en heette Antonino Gioè, een ontwikkeld man met verfijnde manieren, die altijd heel zinnige dingen zei. Ik heb hem later nog eens ontmoet en het viel me op dat hij nooit veel sprak, maar als hij dat wel deed, ging het altijd om een goed doordachte opmerking. De andere was Gioacchino La Barbera, een knappe man met lichte ogen en een dichte stoppelbaard, groot en zwaar van postuur. Dat zijn de twee mannen geweest die, samen met Salvatore Cancemi, Santino Di Matteo en Giovanni Brusca, de bom hebben geplaatst onder de snelweg bij Capaci, waar Giovanni Falcone zijn levenseinde heeft gevonden. Op 23 mei 1992 bevond La Barbera zich op het vliegveld toen Falcone daar aankwam uit Rome. Met een wachtwoord dat ze hadden afgesproken waarschuwde hij de anderen die langs de snelweg stonden: 'Alles in orde.' Antonino Gioè hield met een verrekijker de weg in de gaten en toen hij het konvooi van drie auto's zag aankomen, was hij degene die tegen Brusca riep: 'Nu!', zodat die op het goede moment de knop indrukte. In 1993 hebben ze hen alle twee gepakt. Gioè wist niet dat de politie hem al heel lang in de gaten hield en afluisterapparatuur in zijn huis en auto had geplaatst... Hij praatte en praatte maar, en de politie hoorde alles... Hij had het ook over 'het aanslagje', en zo hebben ze hem kunnen arresteren.

Gioè is nooit officieel met justitie gaan samenwerken, maar hij heeft aan de onderzoeksrechters en politiemensen zulke uitgebreide antwoorden gegeven dat hij op een bepaald moment voor zichzelf moest vaststellen dat hij te ver was gegaan. Hij was geen 'smerige verrader', maar dat zou Cosa Nostra nooit met hem eens zijn. En dus heeft hij in juli 1993 zelfmoord gepleegd in de gevangenis door zich met zijn schoenveters op te hangen aan de tralies van het venster in zijn cel. La Barbera hebben ze gepakt in maart, en na zes maanden is hij wel met justitie gaan samenwerken. Hem heb ik na die keer bij ons thuis nooit meer teruggezien. Vanaf dat moment is trouwens ook voor ons Vitales alles in een stroomversnelling geraakt.

Het was 1992, een verschrikkelijk jaar voor Sicilië en Italië, maar niet voor ons. Net als Vito, was ook Nardo steeds belangrijker aan het worden in Cosa Nostra. Nadat op 31 januari de uitspraak in cassatie van het maxiproces van Palermo alle levenslange gevangenisstraffen had bevestigd, was Giovanni Brusca ondergedoken en Nardo was een van degenen die hem hielpen zich te verbergen in onze contreien. Hij zag er persoonlijk op toe dat het Brusca aan niets ontbrak en, belangrijker nog, dat hij in veilige schuilplaatsen kon verblijven. Zo regelde hij bijvoorbeeld een stuk van een stal op het land voor hem, waarin hij een badkamertje en een keukentje had laten bouwen. En daarna verplaatste hij hem naar het huis van zu Tanino, oftewel Gaetano Lunetto, met wie hij zakendeed in de bouwwereld. De grote maffiabaas van San Giuseppe Jato beschermen was een grote eer voor Nardo, en al heel snel zou hij er ook voor worden beloond.

Op een ochtend vroeg Nardo me om blikjes frisdrank en broodjes te gaan kopen, eten en drinken voor een hele groep mensen, en om die spullen snel naar een van de stallen van mijn broers in Val Guarnera te brengen. Ik wist niet wat er zou gaan gebeuren in die stal, maar zoals altijd deed ik precies wat me was gevraagd: ik laadde mijn auto vol en reed naar Nardo toe op de boerderij.

Toen ik daar aankwam, stonden er al meerdere auto's geparkeerd en er liepen daar buiten veel mannen te roken en te kletsen. En allemaal keken ze naar een bepaalde vreemde snuiter… of eigenlijk wílden ze naar hem kijken, maar je zag dat ze dat alleen maar tersluiks durfden te doen. Ze durfden hem niet recht aan te staren, alsof ze niet wilden laten merken dat ze naar hem keken… Die figuur was gearriveerd in een grote auto met eigen chauffeur. Hij was gekleed in een lang donker gewaad en om zijn middel droeg hij een brede paarse sjerp… Het leek wel een bisschop. Van een afstand bleef ik even naar hem kijken. Wat had een bisschop daar nou te zoeken? En wie was het? Maar vragen stellen kon natuurlijk niet. Ik gaf wat ik had meegebracht aan Nardo, en reed terug naar huis.

Later vroeg ik aan mijn broers wie dat was geweest, die bisschop, en zo hoorde ik dat het om Bernardo Provenzano ging, 'Bernardo de Tractor'. En Nardo was ook nog heel pissig op hem: hij had zich verkleed om de politiecontroleposten te misleiden, maar dat carnavalspak kon de smerissen ook juist argwanend maken, in plaats van ze om de tuin te leiden. Wanneer liep er nou zomaar een bisschop rond bij ons op het land? Nardo was nog op vrije voeten, maar iedereen wist dat hij in de gaten werd gehouden. En kijk eens wat hij leek te hebben gedaan: een bisschop uitnodigen voor een hapje en een drankje met zijn vrienden... Volgens Nardo had Provenzano heel onverstandig gehandeld, en hij heeft zich er ook over beklaagd bij Riina en Giovanni Brusca. Die laatste zat ook nog eens bij ons in de buurt ondergedoken, en liep dus extra risico. Maar zo was Provenzano nou eenmaal...

Toch ging het tijdens die vergadering in Val Guarnera eigenlijk om iets anders, om iets veel belangrijkers: Nardo werd op bevel van Totò Riina officieel benoemd tot maffiabaas van Partinico. Dat was de reden van die vergadering. En ook is er toen opnieuw gekeken naar de verschillende families, en is er bepaald wie er in elk maffiadistrict en in elke provincie echt te vertrouwen waren. Er hing namelijk een nieuwe maffiaoorlog in de lucht, en dan wil niemand voor verrassingen komen te staan.

Na die uitspraak in cassatie van het maxiproces had Riina besloten om opnieuw een aanval op de staatsmacht in te zetten. Hij wilde de Italiaanse staat er met harde hand van overtuigen dat het beter was om hem niet tegen te werken. Met al die levenslange gevangenisstraffen zat hij zwaar in zijn maag en ook hij was niet vergeten wat er allemaal was gezegd over Vincenzo Puccio in de Ucciardone-gevangenis. De maffiosi die in de gevangenis zaten, waren begonnen zich te beklagen – of erger nog: waren tegen hem in opstand gekomen. Dat was voor de koning van Cosa Nostra – want dat wilde hij zijn – geen goede zaak. Een maffioso van lage rang is eventueel bereid voor je te sterven als hij weet dat je zijn familie zult beschermen, dat je voor hem garant staat. En als zo iemand in de gevangenis terechtkomt, dan verwacht hij dat zijn baas hem er vroeg of laat uit weet te krijgen. Maar door dat maxiproces en door die kloothommel van een Falcone – kloothommel, ja, zo noemden ze hem – kwam er nu helemaal niemand meer uit de gevangenis. En al die politici hadden ook hun plicht niet gedaan.

Iedereen herinnerde zich hoe de zaken gingen toen de 'oude garde' nog de leiding had, de Badalamenti's, de Inzerillo's, de Bontades – de heren van stand dus. Die hadden altijd wel ergens een geheim contact, iemand die ze in hun macht hadden, en dus konden ze die rechtzaken altijd wel in hun voordeel manipuleren. Maar bij dat maxiproces leek het allemaal heel anders te gaan. Zelfs rechter Corrado Carnevale, die bij het Hof van Cassatie altijd zoveel veroordelingen weer van tafel veegde, hadden ze geweerd uit het maxiproces van Falcone. En Salvo Lima, die via de politiek en met de steun van Andreotti ook een heer van stand was geworden, en van wie iedereen op Sicilië wist dat het een maffioso was – waarom deed hij er niets aan?

'Wat doen ze in Rome?' Die vraag stelden ook mijn broers zich. Maar nooit spraken ze hem uit, nooit zeiden ze iets, nooit vertelden ze iets over wat er te gebeuren stond. En nooit heb ik begrepen wat zij er zelf nou precies van wisten… In elk geval waren de omstandigheden in Italië in die periode heel ongunstig. In februari was de Operatie Schone Handen begonnen, met Mario Chiesa die zich had laten pakken met een envelop vol smeergeld die hem net was toegestoken in het bejaardenhuis in Milaan waarvan hij directeur was… De socialistische partij, de PSI, zat in de problemen, maar ook de christendemocratische partij, de DC, had grote narigheid, de partij die altijd een referentiepunt voor Cosa Nostra was geweest. Nu gingen ook de grote mannen van de DC de bak in… Maar het allerergste was dat die kloothommels van onderzoeksrechters nu telkens weer hun grote neus staken in alles wat er omging in het wereldje van steekpenningen en overheidscontracten, van geld van de staat dat altijd terechtkwam in de zakken van de meest lepe figuren, en vooral natuurlijk in onze zakken, in de zakken van Cosa Nostra op Sicilië en in heel Italië. Dat soort dingen zag ik op de televisie, maar één ding heb ik nooit begrepen: als wij van Cosa Nostra geld vragen hebben ze het over afpersing, en als politieke partijen hetzelfde doen heet het opeens 'illegale financiering' of zoiets…

Hoe het ook zij, die nationale campagne tegen de smeergelden was gevaarlijk, dat begreep ik heel goed. De mensen waren wakker geworden en ze eisten dat de staat en de politiek grote schoonmaak zouden houden… Maar het geld van overheidscontracten werd – in elk geval op Sicilië – verdeeld door de politieke partijen en Cosa Nostra samen. Dus hoe zouden die partijen dan in godsnaam zelf grote schoonmaak hebben kunnen houden? Ze hadden dan in eigen huis moeten beginnen, maar voor ze daarover konden nadenken, waren ze al in hun kraag gegrepen door de onderzoeksrechters van Milaan, die Antonio Di Pietro en zijn baas Francesco Saverio Borrelli. Die waren de politieke partijen op de knieën aan het dwingen… En als het zelfs de politieke partijen – de DC, die in Italië altijd de macht had gehad, de PSI van Craxi, een man die dacht dat hij een soort god was – niet lukte om die rechters onder de duim te houden, dan snapte je wel dat ze binnen de kortste keren ook bij ons zouden aankloppen. Kortom, dat maxiproces was blijkbaar nog niet genoeg ellende. Nu kwam er ook nog dit probleem bij, dat voor onze zaken heel ongunstig was en het ook veel moeilijker maakte om rechtszaken te manipuleren en om veroordelingen ongedaan te krijgen.

Over deze dingen sprak ik niet en kon ik niet spreken met Nardo en Vito, maar hun gezichten zeiden me meer dan genoeg. Ik hield hen in de gaten als ze naar de televisie keken en dan zag ik onweerswolken boven hun hoofd ontstaan. Later, toen ik met justitie was gaan samenwerken, heb ik in boeken gelezen wat andere spijtoptanten van de maffia zoal hadden gezegd. Nino Giuffrè, bijgenaamd *Manuzza* ('het Handje'), die de rechterhand was van Bernardo Provenzano, heeft verklaard dat al die onderzoeken

'de hechte band hadden blootgelegd die er op Sicilië bestond tussen Cosa Nostra, het bedrijfsleven en de politiek als het ging om de verdeling van publieke gelden. Falcone en Borsellino hebben het belang van die band meteen begrepen, en dat inzicht van hen heeft ertoe geleid dat het plan om ze uit weg te ruimen versneld is uitgevoerd.

Wat overheidscontracten voor grote projecten betreft, had Cosa Nostra een perfect systeem opgezet met een deel van de politieke klasse en de Siciliaanse ondernemers. Het ging daarbij om een heel secuur afgewogen verdeling. Na 1988 is dit mechanisme, dat tot die tijd was beheerd door Angelo Siino, nog verder verbeterd. Toen is de 'stamtafel' ingesteld, waaraan zeer belangrijke personen deelnamen. Filippo Salmone, een ondernemer uit Agrigento, was een van de figuren die er een sturende rol in hadden. Dat was mogelijk door de inzet van ingenieur Giovanni Bini, de technicus die zich voor het Ferruzzi-concern bezighield met betonwerken en die het verbindingspunt vormde tussen maffiosi en politici. Een tijdlang is hij degene geweest die de overheidsprojecten wist te manipuleren. Dat was de periode waarin er een hechte samenwerking is ontstaan tussen de maffia, een deel van de politieke klasse en de ondernemerswereld. Daardoor is de normale concurrentie uitgeschakeld en zijn de tarieven flink opgedreven. De maffia verschafte bescherming en kreeg daarvoor twee procent. Later heeft Riina voor zichzelf 0,8 procent geëist – geld dat hij zei nodig te hebben voor de meest noodzakelijke uitgaven. Maar waar dat uiteindelijk gebleven is, heb ik nooit geweten.'*

Aldus Manuzza. En Angelo Siino, die in de kranten 'de minister van Openbare Werken van Cosa Nostra' werd genoemd, is toen hij werd gearresteerd en ook hij met justitie is gaan samenwerken nog preciezer geweest toen hij zei dat 'het ging om 120.000 miljard lire die de Siciliaanse politici uitgaven met goedkeuring van de maffia'. Als je denkt aan die hierboven genoemde twee procent, was het dus een bedrag van zo'n 2400 miljard lire dat de maffia dreigde te verliezen. En als het om 'centjes' ging, was Riina altijd bloedse-

* Uit: *I complici* van L. Abbate en P. Gomez, Fazi Editore, Rome 2007.

rieus. Dus verbaasde het me niets toen ik op 12 maart 1992 naar de televisie keek en op een trottoir in Mondello, vlak bij een vuilcontainer, het met een laken bedekte lichaam van Salvo Lima zag liggen. Met hem was Riina dus begonnen.

DE GOEIE JONGENS

Nino Giuffrè kende ik in 1992 niet en ik had hem ook nog nooit gezien, maar Giovanni Brusca, bijgenaamd *'u verru* ('het Varken') wel. Ik kende ook zijn broer Enzo, die wat minder bijdehand was, maar allebei leken het mij heel goeie jongens. Giovanni was erg gesteld op zijn gezin. Hij was iemand van weinig woorden, maar voor zijn vrouw en kinderen deed hij alles, en hij zorgde dat het hun aan niets ontbrak. We gingen soms het dorp uit, naar de boerderij – hij met zijn gezin en wij – en dan was het een heel gewone man. Hij was vrolijk, maakte grapjes; zijn vrouw was altijd mooi gekleed. Je kon zien dat het ze goed ging. Mijn broers hadden veel respect voor hem. Maar vraag me alsjeblieft niet, zoals justitie heeft gedaan, of ik toen iets wist over die aanslagen…

Van die aanslag op Falcone en daarna die op Borsellino, van de aanslagen dus van 23 mei in Capaci en van 19 juli in Via d'Amelio, heb ik vernomen via de televisie. Bij ons thuis is er toen trouwens niet uitbundig feest gevierd, zoals sommige spijtoptanten hebben verteld over de reactie in maffiakringen. Over Riina zeiden ze dat hij onmiddellijk dure champagne bestelde, en Brusca heeft na zijn arrestatie verklaard dat Riina toen had gezegd: 'Eindelijk zijn we verlost van die kopzorgen', en dat Andreotti het nu wel kon vergeten om ooit president van Italië te worden.

Ik wist daar allemaal niets van. Wij Vitales hadden te maken met een oorlog veel dichter bij huis, tegen families als de Greco's uit Alcamo, bijvoorbeeld, die, net als wij, gelieerd waren aan de Corleonezen.

In Alcamo waren er problemen met de familie Milazzo. Vincenzo Milazzo hield zich niet aan de regels. Hij probeerde wat de afpersingen betreft te concurreren met Giuseppe Ferro, die juist echt een van Riina's mannen was. Milazzo liet zich zeer negatief uit over de Corleonezen en over iedereen die bij hen hoorde en zich inliet met aanslagen. Riina wist wel dat er zich figuren binnen Cosa Nostra bevonden die het niet met hem eens waren, die bang waren dat hij te ver was gegaan en dat later iedereen met de gevolgen daarvan te maken zou krijgen.

Na de aanslag op Falcone stuurde Riina Giovanni Brusca naar Alcamo. Vincenzo Milazzo moest dood, en dat regelden ze uiteindelijk met negen man. Een paar dagen voor de aanslag op Borsellino maakten ze ergens een afspraak met Milazzo, en toen hij op die plek verscheen, doorzeefden ze hem met kogels. Toen hij later in de gevangenis was terechtgekomen, heeft Giovanni Brusca verteld dat, behalve hijzelf, zu Luchino Bagarella, Antonino Gioè, Gioacchino La Barbera, Giuseppe Ferro, Enzo Sinacori, Andrea Mangiaracina uit Mazara del Vallo, Gioacchino Calabrò, en vooral Matteo Messina Denaro aan de moord hadden meegewerkt. Die laatste was op weg de belangrijkste maffioso in Trapani te worden. De volgende dag gingen ze nog even naar Castellamare del Golfo om daar Antonella Bonomo te wurgen.

Zij had met Vincenzo Milazzo samengeleefd en was ook nog eens zwanger van hem. Zo werden de Ferro's de maffiabazen van Alcamo, maar wij Vitales kregen te horen dat op de lijst van degenen die 'gestopt' moesten worden ook de Greco's voorkwamen, terwijl die toch nooit aan de kant van de Milazzo's hadden gestaan. En Antonino Greco was een van de beste vrienden van mijn broer Vito.

Toen Vito het hoorde, was hij diep geschokt. Hij ging naar Nardo en zei tegen hem: 'Antonino niet, van hem blijven ze af!'

Hij was echt erg op die jongen gesteld, en bovendien had hij, toen hij in Trapani in de gevangenis zat, aan diens vader beloofd dat hij Antonino in bescherming zou nemen. Hij vroeg aan Nardo om Nino over te laten stappen naar onze familieclan, om tegen de hoge bazen te zeggen: 'Antonino Greco hoort nu bij ons. Ik sta persoonlijk voor hem garant.'

En zo kwam Antonino onder Nardo en Vito werken. Het was een betrouwbare jongen en hij gedroeg zich uitstekend, maar op een dag vonden ze hem dood. In een steegje in Alcamo hadden ze hem in zijn auto door zijn hoofd geschoten, en ik heb nooit geweten wie dat heeft geflikt. Met mijn man ging ik naar de begrafenis en toen ik daar zijn moeder tegenkwam, barstte die in tranen uit. Ze sloeg haar armen om mijn hals en zei keer op keer: 'Ze hebben hem van ons afgepakt, ze hebben hem van ons afgepakt...'

Arme ziel. Ook zij wist dat haar zoon een grote vriend van Vito was geweest, en misschien had Antonino haar wel verteld wat de Vitales allemaal hadden gedaan om hem uit de narigheid te redden...

Midden in al die treurigheid kwam ineens Angelo, mijn

man, ertussen. Uitgerekend op dat moment vond hij het nodig om jaloers te doen. De reden was dat die moeder had gezegd: 'Ze hebben hem van *ons* afgepakt', en niet 'Ze hebben hem van *mij* afgepakt.' Alsof Antonino dus niet alleen van haar was, maar van ons, alsof de vrouwen van Antonino zijn moeder en ik waren. Misschien was dat voor Angelo wel de enige manier om nog iets voor te stellen. Ik had niet eens naar Antonino gekeken, maar Antonino was een vriend van mijn broers, en Angelo was vooral jaloers op hen. Al meteen aan het begin had ik tegen hem gezegd: 'Je mag me alles vragen, maar niet dat ik mijn broers loslaat.' Daar had hij toen niet op gereageerd, maar op momenten als dat bij de begrafenis van Antonino werd het hem dan toch opeens te veel.

Mijn broers lieten me niet met rust. Vooral Nardo, die nu de hoogste maffiabaas van Partinico was geworden en dus opeens heel veel te doen had, gaf me steeds meer opdrachten. Ik moest hierheen, ik moest daarheen, ik moest berichten overbrengen, papieren voor hem ophalen, met advocaten overleggen omdat hij weer eens gezocht werd... In die tijd nam ik ook het beheer van het geld van onze familie op me – de gewone inkomsten en uitgaven, niet protectiegeld of geld van afpersingen – omdat mijn schoonzusters, die over alles altijd moeilijkheden maakten, daarvoor niet de aangewezen personen waren. Heen en weer rende ik maar, meer nog dan vroeger, omdat ik nu ook mijn zoontje Francesco had om wie ik moest denken. Nooit had ik tijd genoeg voor wat ik allemaal moest doen, en Angelo was vaak pissig. Maar wat kon ik anders? Als Nardo of Vito mij bij zich riep, wat moest ik dan zeggen? 'Nee, ik kan niet komen, want Angelo wil het niet'? Dan hadden mijn broers ons allebei verrot geslagen, hem en mij. Soms kwam ik wel eens wat te laat bij ze, en het eerste wat ze dan tegen me zeiden was: 'Wilde papa je niet laten gaan?'

'Papa' noemden ze hem, en ook wel 'die zeikerd', wat eigenlijk hetzelfde was. En ik zat ertussen en moest maar proberen de lieve vrede te bewaren. Iets anders wat Angelo dwarszat, was al dat geld van mijn broers dat door mijn handen ging, en waarvan ik nooit iets voor mezelf achterhield. Dat was geld van mijn broers, punt uit.

Een keer gaf Nardo me zevenhonderd miljoen lire in contanten die ik veilig moest bewaren. Hij had een grote partij most verkocht en dat geld was de opbrengst. Ik moest het afgeven aan een zekere Giuseppe Monticciolo uit San Giuseppe Jato als die zou komen om het bij me te halen. In die periode woonden Angelo en ik niet meer bij mijn schoonouders. We waren ingetrokken bij mijn ouders, om daar de tijd te overbruggen tot het huisje af was waarin we op onszelf zouden gaan wonen. En zo kwam die Monticciolo op een ochtend bij mama aan de deur. Ik was niet thuis, maar hij vroeg naar mij.

'Signora Maria… Nardo heeft me gezegd dat ik hier moest zijn. Is uw dochter Giuseppina thuis?'

Was hij maar nooit aan de deur verschenen. Mijn moeder viel heel grof tegen hem uit.

'Wat moet je? Volgens mij ben jij een smeris! Laat me gauw je papieren zien, dan breng ik ze naar m'n zoon, dan kan hij zien of je een smeris bent!'

Volgens haar had hij een echt carabinieri-gezicht. Ze had hem nog nooit gezien, maar ze vertrouwde hem voor geen cent en joeg hem schreeuwend weg.

'Jij zet geen stap bij mij binnen! Voor mij ben jij een smeris!'

Toen ik thuiskwam, vertelde mama me alles, en even later kon ik het pakketje bankbiljetten toch nog aan Monticciolo overhandigen. Maar toen Nardo het verhaal hoorde, werd hij woedend op onze moeder, omdat ze hem een modderfiguur had laten slaan. Zijzelf had helemaal geen spijt van wat ze had gedaan en zei: 'Luister naar je moeder: voor mij was dat gewoon een smeris!'

En al met al zat ze er niet eens zo ver naast. Monticciolo werd een paar jaar later gearresteerd, en begon al met justitie mee te werken in de politieauto waarmee ze hem naar het bureau brachten. De mensen leerden hem kennen omdat hij degene was die heeft verteld hoe de kleine Giuseppe Di Matteo, het zoontje van Santino Di Matteo, was ontvoerd en vermoord. Santino Di Matteo had meegewerkt aan de aanslag op Falcone in Capaci, en nadat hij was gearresteerd, had hij alles opgebiecht. Hij was in het nauw gedreven doordat de telefoon van Antonino Gioè, zijn grote vriend, was afgeluisterd. Di Matteo en Gioè waren de eerste twee die voor 'het aanslagje' in de gevangenis terechtkwamen. In 1993 heeft Giovanni Brusca besloten om het zoontje van Santino Di Matteo te ontvoeren en zo zijn vader tot zwijgen te brengen. Als die wilde dat de jongen naar huis zou terugkeren, moest hij verder zijn kop houden over het hele gebeuren in Capaci, en ook over de moord op Ignazio Salvo, die was gepleegd in september 1992, omdat die man een vriend was van Salvo Lima en van de politici in Rome, die niets gedaan hadden om de maffiaprocessen gunstig te beïnvloeden.

Het arme jongetje Giuseppe Di Matteo, dat *'u canuzzu*

('het Hondje') werd genoemd, was nog maar elf jaar toen ze hem ontvoerden. Twee jaar lang hebben ze hem rondgesleept over het hele eiland, naar Castellamare del Golfo, naar Gambascio, naar Mazara del Vallo, naar Purgatorio bij San Vito Lo Capo, en daarna opnieuw naar Gambascio, dat in het maffiadistrict van de Brusca's in San Giuseppe Jato ligt. Uiteindelijk hebben ze hem op 11 januari 1996 gewurgd en zijn lichaam laten oplossen in zoutzuur. Ze hadden het vonnis van de rechters afgewacht, maar door alles wat de vader van de jongen had verklaard, hadden Brusca en Luchino Bagarella opnieuw levenslang gekregen; dit was hun straf daarvoor. En ook wilden ze zo anderen het zwijgen opleggen.

Vanaf 1992 ging namelijk iedereen die gearresteerd werd praten. Het leek wel een epidemie... Ze hadden er een gepakt die heel dicht bij Riina stond, Gaspare of Asparino Mutolo. Ook hij was met justitie gaan samenwerken. Hij was de chauffeur van Riina geweest, en had dus heel wat te vertellen. Wijzelf wisten toen niets van wat hij allemaal zei, maar binnen Cosa Nostra hoor je het al heel snel als iemand een verrader geworden is. Mutolo vertelde de onderzoeksrechters, en ook Borsellino voordat die in de Via Amelio werd vermoord, hoe het werkte tussen de maffia en de politiek, en welke politiemensen, juristen, artsen en advocaten wel en niet waren 'gerekruteerd' door Cosa Nostra. En na Asparino was, in hetzelfde jaar, Leonardo Messina uit San Cataldo bij Caltanissetta begonnen te praten. Ze pakten ze op en meteen praatten ze honderduit... Zoiets was nog nooit eerder gebeurd, zoals het ook nog nooit eerder gebeurd was dat het leger naar Sicilië werd gestuurd. Na de dood van Falcone en Borsellino waren de gewone mensen namelijk wakker geworden. Ze hadden er hun buik vol van, en op Sicilië werden overal witte lakens en plakkaten opgehangen om de vermoorde onderzoeksrechters te gedenken. Het leek alsof niemand nog iets met de maffia te maken wilde hebben. En 'die van ons', de mannen van eer, waren nerveus. Het klimaat was veranderd, het was allemaal veel gevaarlijker geworden...

Toen was de beurt aan Pinuzzu, en dat geval deed heel wat stof opwaaien. In 1992 arresteerden ze ook nog Giuseppe Marchese, en ook hij begon te praten. Pinuzzu, zoals hij genoemd werd, was de zwager van Leoluca Bagarella, oftewel zu Luchino, die weer de zwager was van Riina... Giuseppe Marchese was namelijk de broer van Vincenza Marchese, die het jaar daarvoor was getrouwd met Leoluca Bagarella. Er werd toen meteen al geroddeld: hij kon eigenlijk niet met haar trouwen, omdat ze uit Palermo kwam. Een Corleonees moest een Palermitaan nooit vertrouwen; hij moest eigenlijk een vrouw uit zijn eigen dorp nemen. Maar die twee hadden al heel lang verkering en bovendien was zu Totò Riina persoonlijk gehecht geraakt aan de familie Marchese, vooral aan Pinuzzu, en nadat Pino 'Scarpuzzedda' Greco uit zicht was verdwenen, was Pinuzzu zijn favoriete vertrouweling geworden. In een zo heikele periode als toen, met alle smerissen die, na de aanslagen op Falcone en Borsellino, erg lastig deden, gold het als een slecht teken dat een man die zo dicht bij Riina had gestaan was gaan praten. Het betekende dat er ook in zijn eigen familie figuren waren die wat hij deed en dacht ter discussie wilden stellen. Er was geen consensus meer en het zou dus kunnen gebeuren, zoals dat ook was gegaan met Vincenzo Puccio, dat bepaalde mannen in opstand kwamen. En in zo'n geval was iemand vermoorden of een familielid ontvoeren geen afdoende oplossing meer... Misschien stond er binnen Cosa Nostra wel weer een nieuwe oorlog op uitbreken, en dan zou niemand veilig zijn... Uit schaamte over het verraad van haar broer heeft Vincenza Marchese zich in 1995 in haar huis opgehangen. Het leven in Corleone, als iemand die in de familie zo'n schandvlek te dragen had, was haar te veel geworden. Maar eigenlijk was ze al drie jaar daarvoor, toen Pinuzzu was gaan praten, een beetje doodgegaan.

Ja, alles was aan het veranderen, en dat merkten wij thuis ook. Nardo was dan maffiabaas van Partinico geworden, maar in datzelfde bewogen jaar, 1992, raakten we Vito kwijt. Hij kwam in de gevangenis terecht voor zijn lidmaatschap van de maffia, en zou daar tot 1995 blijven.

Toen werd ook nog Bruno Contrada gearresteerd, de chef van de mobiele politiebrigade van Palermo. En wanneer was het ooit voorgekomen dat ze zo'n hoge piet uit eigen kring in de gevangenis hadden gegooid?

'ZE HEBBEN 'M GEPAKT!'

Ik dacht dat ik Riina nog nooit had gezien, maar dat was niet zo. Ik heb hem een keer gezien zonder te weten wie het was. Er was toen een vergadering op onze boerderij en Nardo had me daarheen meegenomen. De mannen zouden misschien iets willen eten of drinken, en daar was ik dan voor. Het was niet zo dat iedereen zich uitgebreid aan elkaar voorstelde, en als vrouw moest ik trouwens op de achtergrond blijven. Maar van een afstand had ik hem wel gezien, dat kleine mannetje dat daar maar zat en zijn mond niet opendeed... Af en toe knikte hij alleen maar... Het leek zo'n figuur waarvan er dertien in een dozijn gaan...

Thuis sprak Nardo nooit over Riina. Nooit zei hij: 'Hij ziet er zo en zo uit, hij heeft dit soort ogen, dat soort haar...' Hij zei er helemaal niets over, en ik wist niet of hij hem ooit had gezien, of hij met hem sprak, of dat hij via Giovanni Brusca of zu Luchino met hem communiceerde... Riina was er gewoon, en dat was alles. Trouwens, ook de smerissen wisten niet hoe Totò Riina eruitzag. Ze hadden geen foto van hem, omdat hij al vijfentwintig jaar voortvluchtig was.

Het was 15 januari 1993, en ik was boodschappen aan het doen. Er heerste een vreemde sfeer in Partinico en in een winkel hoorde ik iemand zeggen: 'Ze hebben 'm gepakt!' Op de televisie herkende ik hem tussen alle schreeuwende mensen en de politiemannen met bivakmutsen op die hem naar het bureau sleepten... Dat was hem, het mannetje van dertien in een dozijn, dat Falcone en Borsellino de lucht in had geblazen. Nardo zei geen woord, hij vloekte niet eens eventjes... Maar ze hadden er echt te veel gepakt, er waren er te veel gaan praten, en volgens mij was Riina erbij gelapt door een 'smerige verrader'.

Maar eigenlijk wist niemand hoe het precies was gegaan, en dat is nog steeds zo. De kranten schreven dat hij was gepakt door toedoen van Balduccio Di Maggio, die enkele dagen daarvoor, op 8 mei, was gearresteerd. Baldassarre of Balduccio Di Maggio stond heel dicht bij Riina, omdat ook hij jarenlang zijn chauffeur was geweest. Hij was automonteur van zijn vak. Maar ook stond hij heel dicht bij ons, omdat hij van het maffiadistrict San Giuseppe Jato was en daar met de Brusca's te maken had gekregen. Veel later hebben de kranten ook geschreven dat, aangezien Riina niet had gekozen voor de familie Di Maggio maar voor de familie Brusca, Balduccio naar Novara was gevlucht, omdat hij verwachtte vermoord te worden. En daar hebben ze hem dan ook kunnen arresteren. Hij heeft toen op een kaart van Palermo plaatsen aangewezen waar Riina en zijn familie eventueel konden wonen; eventueel, want precies wist Di Maggio het niet.

Maar het schijnt dat de carabinieri ook al op een andere manier bij de Via Bernini, waar Riina verbleef, waren terechtgekomen. Ze hielden namelijk een bepaalde familie van bouwaannemers in de gaten, de Sansones, over wie ze te weten waren gekomen dat ze heel dicht bij Riina stonden, en die in een appartement op nummer 54 van die straat een te-lefoonaansluiting op hun naam hadden. Die woning hadden de carabinieri al een tijd in observatie met verborgen came-ra's, en zo hebben ze aan Balduccio beelden kunnen laten zien van wie er in de Via Bernini in en uit liep. Zo heeft hij Ninetta Bagarella herkend, de vrouw van Riina, en ook zijn tuinman, Vincenzo Di Marco. En zo hebben ze Riina op 15 januari 1993 kunnen arresteren, toen hij in een geblindeerde auto zat die werd bestuurd door Salvatore Biondino. Dat was degene geweest die de aanslag op Falcone in Capaci had ge-organiseerd. Riina had hem opgedragen alles te regelen, en Biondino had er toen achttien man op gezet. Maar ook Leo-luca Bagarella had bij de organisatie een grote rol gespeeld. Dat heeft Giovanni Brusca later verklaard.

Hoe het ook zij, meteen op de dag van de arrestaties heb-ben de carabinieri 's avonds het huis van Salvatore Biondino doorzocht, maar het huis van Riina, Via Bernini nummer 52, niet. En ook hier zijn veel dingen onduidelijk... Later is er nog een rechtszaak geweest tegen de carabiniere die de ope-ratie had geleid, *capitano* Ultimo, omdat hij niet op de dag van Riina's arrestatie meteen diens huis heeft laten doorzoe-ken. Ultimo heeft zich toen verdedigd door naar voren te brengen dat het hem op dat moment niet heel belangrijk leek, en dat hij het nuttiger vond om de Sansones te blijven obser-veren, zonder dat die zouden begrijpen dat de carabinieri bij Riina waren uitgekomen via hen. De Sansones hadden na-melijk ook een appartement in dat gebouw in de Via Berni-ni. En dan denkt iedereen natuurlijk: nou, als ze die Sansones in de gaten willen blijven houden, dan laten ze die verborgen camera's gewoon zitten. Maar nee, hoor: nog op de dag dat ze Riina hadden gepakt, hebben ze die weggehaald. Wat moet een mens daar nou weer van denken?

Zu Luchino, Leoluca Bagarella, heeft de avond van de arrestatie zijn zuster Ninetta en zijn neefjes uit de Via Bernini laten ophalen. Antonino Gioè en Gioacchino La Barbera brachten hen naar het station van Palermo, waar ze een taxi terug naar Corleone namen. Ze hadden heel grote koffers bij zich; wie weet zaten daar wel belangrijke papieren in... Dat heeft La Barbera verteld na zijn arrestatie in 1993. Een paar dagen later stuurde Cosa Nostra een heel team van maffiosi naar de Via Bernini om daar alles weg te halen: dure schilderijen, zilverwerk, gouden siervoorwerpen, bontjassen, horloges en nog veel meer, tot een piano aan toe. Ze hebben zelfs de nog afgesloten brandkast uit de wand gesloopt, waarna ze die muur weer hebben gerapareerd en de hele woning hebben overgeschilderd. Achttien dagen later, toen de smerissen kwamen, was het een compleet nieuw huis...

Toen Vito in 1995 uit de gevangenis was gekomen, zaten we op een avond samen naar een televisie-uitzending te kijken waarin het ging over die niet-uitgevoerde huiszoeking in de Via Bernini. Vito had toen Nardo's plaats overgenomen, omdat die in 1995 juist in de gevangenis was terechtgekomen, waar hij verder voor altijd zou blijven. En Vito was de beste vriend van Giovanni Brusca, die toen nog voortvluchtig was. Terwijl we naar die uitzending keken, vroeg ik aan Vito wat hij vond van dat gedoe in de Via Bernini. Hij antwoordde: 'Als ze een huiszoeking hadden gedaan, was de hel losgebroken... Er lagen daar papieren die de hele Italiaanse staat konden laten instorten!'

Volgens hem bezat Riina documenten die gevaarlijk waren voor Italië, en ik wilde daar natuurlijk meer van weten... Ik wilde weten waarom het zo was gegaan, en of het waar was wat er werd gezegd: dat er met opzet geen huiszoeking in de Via Bernini was gedaan... Vito antwoordde me: 'Of dat waar is? Zeker is dat waar... Net zo waar als dat de wegen van de Heer oneindig zijn...'

Het was dus waar, maar veel kwam ik zo niet te weten... Mijn twee broers vertelden me nauwelijks iets over wat er omging in ons eigen maffiadistrict, laat staan in heel Italië. Natuurlijk wist ik wel wie degenen waren die met ons 'een regeling' hadden – dat wil zeggen, die aan ons Vitales protectiegeld betaalden. Dat soort dingen wist ik wel, maar over de politiek zeiden ze nooit een woord, en ik weet ook niet hoeveel ze er zelf eigenlijk echt over wisten.

Ook het verhaal over het 'vodje papier' heb ik pas later gehoord, toen de kranten gingen publiceren wat de spijtoptanten van de maffia allemaal vertelden. Het verhaal schijnt ongeveer zo te zijn gegaan: na de aanslagen op Falcone en Borsellino in 1992 zijn de carabinieri bij Vito Ciancimino, de vriend van Salvo Lima, langsgegaan, om via hem Riina te vinden. Ciancimino moest horen wat de Italiaanse staat geacht werd te doen om verdere moorden te voorkomen, want, met of zonder hem, Riina was erin geslaagd naar buiten te brengen dat hij een 'vodje papier' had, een soort verklaring waarin hij de dingen had opgeschreven waarvan hij wilde dat ze zouden gebeuren voordat hij zou stoppen met het afkondigen van aanslagen: herziening van de vonnissen van het maxiproces, intrekking van wetsartikel 41 bis, het artikel van het strenge gevangenisregime... Dat soort dingen. Maar toen hebben ze Riina dus gepakt.

Dat 'vodje papier' is een soort fabel geworden, maar ik had een heel andere voorstelling van Riina's arrestatie, en Giovanni Brusca dacht er, zoals te lezen valt in zijn boek met bekentenissen, net zo over. Volgens mij is Riina door iemand verraden in ruil voor iets. Wie had er iets te winnen bij die hele 'tragedie'? De Italiaanse staat natuurlijk, als het waar was dat Riina bewijzen bezat dat bepaalde politici met Cosa Nostra te maken hadden gehad. En dus was het beter om alles uit de Via Bernini te laten verdwijnen.

Maar er was nóg iemand die iets te winnen had: Bernardo Provenzano, 'de Tractor'. Alle maffiosi wisten dat de beslissingen werden genomen door Riina en dat Provenzano altijd achter hem aan liep, dat hij geen ja en geen nee zei, dat hij steeds maar in de schaduw bleef... Provenzano, zo zeiden de maffiosi, was de boekhouder; hij lette op de 'centjes', op de zaken en de grote overheidsopdrachten. Je zag hem bijna nooit. Later heb ik gehoord dat Balduccio Di Maggio, toen hij in 1992 ging praten, zelfs tegen de carabinieri heeft gezegd dat volgens hem Provenzano al dood was... Maar het kan ook zijn dat hij dat nooit echt heeft gezegd, dat het alleen maar een truc was om Provenzano's betrokkenheid bij Riina's arrestatie te verdoezelen... Ik weet het niet. Giovanni Brusca heeft ooit aan een journalist verteld dat zijn vader Bernardo Brusca altijd tegen hem zei dat Provenzano meerdere gezichten had, en dat niemand wist wat zijn echte was. Maar nadat ze Riina hadden gepakt, kregen ook wij Vitales al snel met Provenzano te maken. Hij was in de verste verte niet dood, en in Partinico was een van zijn families bezig onze plaats over te nemen: de Lo Iacono's. Die kende ik heel goed...

Ook zu Luchino Bagarella vertrouwde Provenzano trouwens niet. Nu Riina in de gevangenis zat, moest er binnen Cosa Nostra een nieuwe leider worden gevonden, maar vooral moest er bepaald worden wat er gedaan moest worden. Moesten ze doorgaan met aanslagen op de staat, om die zo te dwingen te doen wat Riina had gezegd in dat beroemde 'vodje papier' van hem? Of was het beter om even te 'dimmen', om uit zicht te verdwijnen, om net te doen of de maffia was opgehouden te bestaan, zodat we ons konden reorganiseren en ondertussen gewoon konden doorgaan met geld verdienen?

Bagarella en Brusca wilden doorgaan met de aanslagen die al waren bedacht door zu Totò Riina, maar Provenzano ging daar niet mee akkoord. En dus namen ze het besluit om wel door te gaan met bommen plaatsen, maar alleen buiten Sicilië. De boodschap zou de staat op die manier ook wel begrijpen, maar het was dan niet nodig om telkens alle lokale Siciliaanse maffiabazen het met elkaar eens te laten worden.

Dit is later verteld door Nino 'Manuzza' Giuffrè. Maar het idee dat Provenzano zijn vriend Riina had verkocht om zelf buiten schot te blijven, leefde bij velen. Nadat hij zelf was gepakt, op 11 april 2006, is hij onder verzwaard regime in de gevangenis van Terni geplaatst. Daar zat ook de zoon van Totò Riina, Giovanni. Toen die hoorde dat Provenzano was binnengebracht, begon hij te schreeuwen: 'Hebben ze die vuile smeris hier gebracht?!'

En er werd nog wel meer verteld, maar dat waren echt niet meer dan praatjes, alhoewel die soms meer waarheid bevatten dan de 'waarheid' zelf. Dat in dat hele gedoe ook de Amerikanen een rol hebben gespeeld, de CIA... Dat Provenzano met hen een deal had gesloten om Riina te pakken, en dat hij op die manier een betere garantie van zijn veiligheid kon krijgen, omdat hij de Italiaanse staat alleen niet genoeg vertrouwde... En dat hij voor die contacten met de CIA de na de maffiaoorlog van de jaren tachtig naar Amerika gevluchte maffiosi had ingeschakeld – de Inzerillo's, de Badalamenti's, de Spatola's – die allemaal weer graag naar Sicilië wilden terugkeren. Verzinsels? Het kan zijn... Een feit is in elk geval dat niet alleen die gevluchte maffiosi zijn teruggekeerd, maar ook dat Provenzano nog dertien jaar buiten de gevangenis wist te blijven.

Zeker geen verzinsels waren alle bomaanslagen van 1993. Zu Luchino Bagarella en Giovanni Brusca hadden besloten hun campagne om de Italiaanse staat op de knieën te dwingen voort te zetten. Op 14 mei hebben ze een bom geplaatst in een auto die geparkeerd stond in de Via Fauro in Rome, achter het Parioli-theater, omdat ze de journalist Maurizio Costanzo wilden ombrengen, die op de televisie een T-shirt met MAFIA MADE IN ITALY erop in brand had gestoken, en de maffiabazen in het openbaar met harde woorden aanviel. Costanzo heeft het er wonder boven wonder levend afgebracht. Zoals later de maffiaspijtoptant Tullio Cannella heeft verteld, schijnt het dat zu Luchino, toen die te horen kreeg dat Costanzo nog leefde, nauwelijks reageerde en zei dat het belangrijkste was dat hij was geschrokken, en dat Costanzo een journalist was van Canale 5, die daarom dus niet dood moest. Maar op 27 mei waren er wel degelijk vijf personen omgekomen toen er een bestelbusje vol trotyl ontplofte bij de Uffizi in Florence. En omdat de minister van Justitie op 16 juli artikel 41 bis had herbevestigd in plaats van het in te trekken, ontploften er op één dag, op 27 juli, een auto in de Via Palestro in Milaan, waarbij vijf doden vielen, en nog twee andere, beide zonder slachtoffers te maken, in Rome: de ene in San Giovanni in Laterano en de andere in San Giorgio al Velabro. En bommen waren kennelijk nog niet genoeg, want op 15 september werd in de wijk Brancaccio in Palermo pastoor Pino Puglisi doodgeschoten, een man die probeerde de jongens uit zijn parochie buiten de greep van de maffia te houden.

Ook had Cosa Nostra nog een dreigbrief gestuurd aan verschillende kranten, waarin ze de schijn probeerden te wekken dat die brief van een terroristische groepering afkomstig was. Maar de kranten hadden dat óf niet geloofd, óf ze hadden andere dingen aan hun hoofd. Er waren namelijk heel wat hoge pieten die er door de Operatie Schone Handen toe kwamen zelfmoord te plegen, in de gevangenis en daarbuiten... Zoals die Cagliari van het energiebedrijf ENI, en Gardini van het Ferruzzi-concern... Het was één grote chaos in Italië en niemand wist hoe het zou gaan aflopen. Sommigen zeiden dat de Eerste Republiek al dood was... En in Cosa Nostra ging het niet bepaald beter: Bagarella en Brusca hadden er moeite mee om iedereen eronder te houden die na de arrestatie van Riina z'n kop wilde opsteken. En dan was er natuurlijk nog Provenzano met al zijn vrienden. Het leek wel of ook bij ons op Sicilië een republiek zijn einde had gevonden, en dat was dan niet de Eerste, en eigenlijk was het ook geen republiek, want Riina was altijd *'u re* – de koning – geweest... En ergens in al die narigheid waren ook wij er nog, de Vitales.

WINTERMELOENEN

Nee, het ging niet goed met ons, en zeker niet met mij. Mijn man en ik waren eindelijk in ons eigen huis getrokken, een mooi pandje dat we hadden laten bouwen naast het huis van mijn schoonouders, maar wel met een eigen toegang. Zo waren we wat meer op onszelf, en hadden we minder te maken met al die familie – met zijn moeder, bijvoorbeeld… Mijn dochtertje Rita was er inmiddels bij gekomen. Met mijn kinderen was ik gelukkig, maar met Angelo was het almaar ruzie. Hij verweet me nog steeds mijn betrokkenheid bij mijn broers, daarmee kon hij maar geen vrede vinden, en hij had nu ook nog losse handjes gekregen… Als die broers me mochten slaan, waarom hij dan niet? Maar ik accepteerde dat niet, omdat een man zijn vrouw dient te respecteren. En ik was ervan overtuigd dat Angelo het idee had dat hij door mij te slaan eigenlijk Nardo, Vito of Michele sloeg, dat hij zo tegenover hen zijn gram probeerde te halen. Een keer gaf hij me tijdens een ruzie zo'n harde duw dat ik over de hele trap naar beneden viel en bijna mijn nek had gebroken. Toen wilde ik bij hem weg. Ik nam mijn kinderen mee en ging naar mijn moeder, maar toen mijn woede wat bekoeld was, ben ik weer naar huis teruggegaan.

Gelukkig had ik mijn kinderen. Soms zat ik stilletjes in een hoekje naar ze te kijken als ze aan het spelen waren... zo klein... Francesco was een joris goedbloed, hij huilde nooit; als hij maar te eten en te drinken kreeg, ging hij tevreden slapen. Toen zijn zusje was geboren, deed hij absoluut niet jaloers en speelde hij heel lief met haar. Het leek wel of hij haar wilde beschermen. Rita daarentegen was een kind met een eigen willetje... Als er, toen ze wat groter was geworden, iets gebeurde wat haar niet beviel, ging ze, iedereen uitdagend, met haar handen op haar heupen midden in de kamer staan. En alles deed ze zoals zij het wilde. Als ik haar meenam in de auto, wilde ze altijd rechtop staan op de achterbank om goed uit de raampjes te kunnen kijken en alles op straat te kunnen volgen. Als ze een jongen zag met een beetje lang haar of met een oorbelletje in, wees ze die met haar vingertje aan en zei dan: 'Mama, mama, kijk 'ns: dat is een smeris!'

Voor haar waren het allemaal smerissen – iedereen die er een beetje anders uitzag, iedereen die naar ons keek, elke auto die achter ons aan reed. Mijn ouders waren dol op die twee kleintjes van me. Vooral mijn vader was helemaal in hun ban geraakt en wilde ze steeds maar meenemen naar de boerderij.

Ik kan me nog een zondag herinneren toen we allemaal op de boerderij in Baronia waren. Francesco was bij zijn opa en rende achter de paarden aan om te proberen ze te vangen. Zonder dat we het zagen, was hij bij de omheining van prikkeldraad gekomen. Toen hij probeerde daaroverheen te klimmen, liep hij een diepe snee in zijn been op. Hij begon te huilen en te brullen, en toen ik eraan kwam rennen, zag ik dat hij helemaal onder het bloed zat. Ik ging helemaal over de rooie. Ik was zo bezorgd dat ik niets beters kon bedenken dan me tegen mijn vader te keren. Ik schold hem uit en riep dat hij niet goed had opgelet, dat het zijn schuld was dat Francesco nu gewond was, en dat ik mijn kind nooit meer aan hem zou toevertrouwen. Daarna riep ik mijn man. Nadat we ook Rita in de auto hadden gezet, brachten we Francesco zo snel mogelijk naar het ziekenhuis. Papa was nog achter me aan gekomen en had geprobeerd me zover te krijgen mijn dochtertje bij hem achter te laten, maar ik had hem opnieuw afgesnauwd. En ook mijn moeder, die probeerde me te kalmeren, had ik op een grove manier afgewezen.

Bij de Eerste Hulp werd Francesco's wond dichtgemaakt met zes hechtingen en wisten ze me een beetje tot bedaren te krijgen. Binnen twee weken zou het helemaal over zijn. Ik reed terug naar mama om haar te vertellen wat de dokters hadden gezegd. Ze zei dat papa erg overstuur was, dat hij zich vreselijk schuldig voelde, en ook vernederd, omdat ik zo vervelend tegen hem had gedaan, en dat hij, nadat wij naar het ziekenhuis waren gegaan, een ontzettende huilbui had gekregen.

Arme papa… Toen ik mijn excuses ging aanbieden, zei hij keer op keer dat hij er echt niets aan kon doen. Van lieverlee was hij helemaal opgesloten geraakt in zijn eigen wereldje. Alleen zijn kleinkinderen konden hem nog een beetje afleiden van de verbittering die hij in zich droeg en waarvan het gedrag van zijn zoons de oorzaak was. Hij had het gevoel dat hij alles verkeerd had gedaan, dat hij gefaald had, en zijn enige uitlaatklep was nu de boerderij… Daar trok hij zich dan ook vaak terug.

Op een dag liep hij rond bij de dijk om te zien of er geen

beesten van hem in een modderpoel waren gevallen. Bij het gevaarlijkste punt van dat moerasgebied was een ijzeren brug gemaakt, zodat je daar kon oversteken. Toen hij die dag het trapje naar die brug wilde afdalen, maakte mijn vader een misstap en verloor zijn evenwicht. Al lange tijd liep hij met een stok, omdat hij al eens eerder een nare val had gemaakt en toen zijn bovenbeen had gebroken. Bij die brug viel hij heel diep naar beneden. Gelukkig kwam hij terecht in zachte modder en liep hij alleen een paar blauwe plekken op. Maar dat ongeluk was nog maar een voorproefje van het drama dat hem te wachten stond.

Het was juli 1994, en de hitte was verschrikkelijk. Papa was er helemaal niet goed aan toe en had eigenlijk goed verzorgd thuis moeten blijven. Maar vergeet het maar: hij had zich in zijn hoofd gezet dat hij naar de boerderij moest... Hij moest al zijn groente en fruit besproeien, en vooral de *anuara* die hij dat jaar had geplant en die heel veel water nodig hadden. Anuara zijn gele meloenen die in de winter rijp worden. Ze zijn heel lekker, maar slurpen een ongelooflijke hoeveelheid water op. Voor de dagelijkse ritten naar de boerderij gebruikte papa niet meer de vrachtwagen waarin hij zoveel jaren had gereden, maar een Fiat 127 die hij had gekocht. Elke ochtend stapt hij heel vroeg in zijn autootje en reed hij naar Baronia. Of er iemand met hem meeging of niet, er kon in elk geval geen dag voorbijgaan zonder een bezoekje aan zijn beesten en zijn meloenen. Wat de zaak nog erger maakte, was dat hij reed als een gek, en daarover waren we heel ongerust, vooral mama, die dan ook zo vaak mogelijk met hem mee probeerde te gaan. Maar die dag ging mama niet met hem mee. Het was een maandag, en mama wilde een paar boodschappen doen en pastasaus maken. Daarna zou ze door papa worden opgehaald om samen met hem te lunchen in Baronia. En zo ging het ook.

Papa vertrok dus in z'n eentje, en nadat ze boodschappen had gedaan maakte mama een grote pan pasta met tomatensaus, waarna ze ging zitten wachten op haar man. Twaalf uur, een uur, halftwee – mijn vader kwam niet opdagen. Ongerust geworden, belde mijn moeder mij en vertelde me dat ze al een eeuwigheid bij de deur zat te wachten en dat papa maar niet kwam. Ik was bezig met de afwas en werd door dat telefoontje meteen heel angstig. Ik had een slecht voorgevoel en belde Nina om te vragen of ze op mijn kinderen wilde letten. Maar ook Nina was ongerust en wilde meekomen. Dus stapte ik in de auto met Nina en mijn kinderen, en gingen we met z'n allen mama ophalen. Midden in de straat stond ze ons op te wachten, met die pan in haar handen.

In een vloek en een zucht waren we op de boerderij. Onmiddellijk zagen we de Fiat 127 van papa staan. Het hek stond open, maar papa was nergens te bekennen. We begonnen hem overal te zoeken, en Nina en ik riepen hem steeds: 'Papa! Papa!'

En mama ook: 'Giovanni! Giovanni! Waar ben je?'

Maar papa gaf geen antwoord… We liepen om de boerderij heen, maar nog steeds niets. En toen, gestuurd door zo'n impuls die je krijgt zonder dat je weet waarom, draaiden Nina en ik ons tegelijkertijd om en liepen we naar het meloenenveld, waar we nog niet waren geweest. En daar, te midden van de anuara, lag iemand… een donker silhouet half in de modder. Doodsbang renden we ernaartoe: het was papa die voorover in een diepe plas lag. In zijn hand hield hij de slang, waar nog steeds water uit spoot, en zijn lichaam was bijna helemaal overdekt met slijk. Het hele terrein daar was ondergestroomd en het leek wel een moeras met de kleur van aarde. En overal, een paar hier en een paar daar, dreven die meloenen van hem rond. Omdat hij zoveel water had binnengekregen, was papa helemaal opgezwollen. Hij lag met zijn gezicht naar beneden en zijn armen naast zich uitgespreid. Verschrikkelijk om te zien... de ergste nachtmerrie die een dochter kan overkomen.

Intussen was ook mama, die ons gegil had gehoord, komen aanlopen. Nina en ik stapten de poel in en probeerden wanhopig papa eruit te trekken. Maar we zakten tot onze knieën weg in de modder, onze schoenen werden vastgezogen, zodat we ons niet konden bewegen, en het lichaam was echt te zwaar voor ons. Ik vond het vreselijk om papa zo te zien, maar ik was machteloos... Van alles had ik willen doen, maar hoe?

Ik raakte in paniek en rende naar de weg om aan iemand hulp te vragen, maar er was geen sterveling te bekennen. Zonder schoenen en overdekt met modder rende ik verder, ik heb geen idee hoe lang. Pijn aan mijn voeten voelde ik niet. Ik schreeuwde, huilde en rende. Maar die dag was er geen kip te zien. Uiteindelijk kwam ik bij de stallen van mijn broers in Val Guarnera en trof daar Marco aan, een man die voor Michele werkte. Zo goed en zo kwaad als het ging, vertelde ik hem wat er was gebeurd. Met zijn auto bracht hij me terug naar Baronia. Hem lukte het wel om papa's lichaam uit de modder te trekken en samen met mama en Nina bracht hij papa naar huis.

Ik wilde het nog niet opgeven. Ik wilde niet accepteren dat

mijn vader dood was en wilde mezelf wijsmaken dat er nog iets gedaan kon worden. En dus besloot ik niet met hen mee te gaan en reed ik met mijn auto naar het ziekenhuis. Aan een dokter daar vroeg ik om hulp. Verward vertelde ik hem wat er was gebeurd en ik heb hem bijna gedwongen om met me mee te gaan. Maar bij mama thuis kon hij niets anders doen dan bevestigen dat papa dood was. Hij dacht dat het een herseninfarct was geweest.

Pas toen werd ik weer een beetje helder. Ik nam de touwtjes in handen en stuurde iedereen de kamer uit. Toen ik alleen was, kleedde ik mijn vader uit. Niemand mocht hem aanraken. Ik waste hem helemaal, van top tot teen. Dat was de eerste keer dat ik hem bloot zag. Hij geneerde zich altijd snel. Thuis trok hij nooit zijn onderhemd uit en hij durfde niet eens pantoffels aan te doen. Met grote zorg kleedde ik hem daarna weer aan, waarvoor ik de hulp vroeg van een buurvrouw, de enige wie ik toestemming gaf om erbij te komen. En pas daarna kon ik huilen, samen met mijn hele familie. Maar papa was er niet meer.

HET JAAR VAN DE AARDBEVING

Wat kon mij die politicus Andreotti schelen! Toen ze hem in 1995 gingen vervolgen voor connecties met de maffia, had ik heel andere dingen aan mijn hoofd. In februari was Vito vrijgekomen, maar dat was nog niet het einde. Hij stond nog onder speciale controle en moest elke dag naar het politiebureau om zijn handtekening te zetten. En toen iemand hem een seintje gaf dat hij binnenkort wéér gearresteerd zou worden, dook hij onder, samen met zijn vriend Giovanni Brusca, die al ondergedoken zat. Nog geen drie maanden later werd Nardo, die ook elke dag ging tekenen bij de politie, aangehouden. Ook hij had mensen die hem op de hoogte hielden van wat er te gebeuren stond, maar die keer was het niemand gelukt om hem op tijd te informeren. Ik heb hem daarna nooit meer op vrije voeten gezien. En vervolgens was de beurt aan Michele. Ook hij kreeg artikel 416 bis aan zijn broek… Bij Nardo en Vito was ik het wel gewend, die gingen gevangenis in gevangenis uit, maar met Michele was dat anders. Toen Vito iemand naar hem toe stuurde om hem te zeggen dat hij bij hem moest komen onderduiken – en natuurlijk stuurde hij mij –, wilde Michele er niets van weten en zei hij tegen me: 'Zeg maar tegen hem dat hij niet aan m'n kop moet zeuren. Het heeft geen zin om me laten roepen. Ik ga niet. Dat gedoe van hem interesseert me niet. Daar wil ik helemaal niks over horen!'

Maar hij heette wél Vitale, en ook al probeerde hij eerlijk werk te doen, hij werd toch gearresteerd. Toen de carabinieri hem kwamen halen, leken ze zich met hun houding geen raad te weten. Ze noemden hem *Signor Michele* en waren heel beleefd tegen hem...

Echt een geweldig jaar, 1995... Er had een aardbeving plaatsgevonden in onze familie... Alleen Vito was nu nog buiten de gevangenis, en die had dus de verantwoordelijkheid voor ons hele maffiadistrict. De enige mensen op wie hij kon vertrouwen, waren Giovanni Brusca en ik. En Giovanni was steeds belangrijker aan het worden, omdat in juni ook zu Luchino Bagarella was gearresteerd, en het dus niet alleen meer ging om Partinico en San Giuseppe Jato, maar om heel Cosa Nostra. Nardo werkte zo veel mogelijk mee. Hij was nog steeds het eigenlijke hoofd van de Vitale-familie. Eerst zat hij in de Ucciardone-gevangenis en later in de Pagliarelli, de nieuwe gevangenis van Palermo. Maar omdat hij niet in een verzwaard regime was geplaatst, mocht hij familiebezoek ontvangen. Zo kon hij aan Vito laten doorgeven wat er gedaan moest worden. Maar alle twee hadden ze mij nodig om met elkaar in contact te blijven en om de zaak draaiende te houden.

Alles kwam op mij af: de boerenbedrijven in Val Guarnera en Baronia en alles wat daarbij hoorde, en papa was er nu ook al niet meer... Het loon voor onze werkmensen, het verdelen van het geld tussen de gezinnen van mijn broers, bankzaken... Soms had ik wel veertig miljoen lire in tien dagen te beheren. Dat geld was 'schoon', maar in die periode moest ik me ook gaan bezighouden met het vuile geld. Dat had niet de vorm van cheques of een bankoverschrijving, maar van contanten, en het ging altijd heel snel van hand tot hand. Het kwam naar ons toe van de winkeliers van Partinico die 'een regeling' met ons hadden, en ook uit bouwprojecten en dat soort geldcircuits. Ik moest zorgen dat het bij de gezinnen kwam van onze bendeleden die in de gevangenis zaten; ik moest er enveloppen mee vullen waarvan Nardo en Vito me dan zeiden waar ik ze heen moest brengen; ik moest het in bewaring houden tot de organisatie het nodig had voor dingen die altijd gebeuren als je het niet verwacht... voor de 'afdeling onvoorzien' dus. Ik bewaarde het geld achter een verlaagd plafond in mijn huis, maar ook op plaatsen die niemand kende, zelfs mijn man niet.

Dan moest ik natuurlijk ook nog zorgen dat Vito op zijn onderduikadres goed verzorgd werd, dat hij en zijn samen met hem ondergedoken vrienden alles kregen wat ze nodig hadden... en ik moest de vele advocaten betalen. De meest vooraanstaande heb ik allemaal leren kennen; alle belangrijke advocaten van Sicilië hebben de Vitales als cliënt gehad. Ik weet nog dat ik op een dag in één keer vijftig miljoen lire moest afgeven bij een advocatenkantoor dat zich bezighield met de zaken van mijn broers.

Wat ik deed was écht werk, waarvoor een helder hoofd, snelle benen en nog snellere hersens nodig waren. En veel tijd had ik er niet voor: om vier uur kwamen mijn kinderen uit school, en ik moest dus alles voor die tijd geregeld hebben, zonder dat iemand het merkte. Met niemand sprak ik en niemand vroeg ik om raad, zeker mijn man niet. Ik ging de deur uit en deed wat ik moest doen, maar ik vertelde hem nooit iets. En hij werd dan natuurlijk kwaad, omdat hij me telkens zag verdwijnen en nooit wist waar ik naartoe ging, bij wie ik was, wanneer ik weer thuis zou komen... Maar ik deed dat bewust zo, om hem en de kinderen erbuiten te laten en hen niet in gevaarlijke situaties te brengen. Misschien was het naïef van me, maar ik wilde niet dat Angelo betrokken raakte bij de 'Fardazza-clan'; ik wilde dat hij en mijn kinderen daarbuiten bleven. Maar aan ruzie thuis geen gebrek! Het is meerdere keren gebeurd dat Vito me 's avonds bij zich wilde laten komen en dat ik dan, om te zorgen dat mijn man niet met me meeging, met opzet ruzie ging maken, zodat hij thuisbleef. Ik leefde met de angst dat een of andere nieuwe maffiaspijtoptant, die hem dan misschien samen met mij gezien zou hebben in een gevaarlijke situatie, aan justitie zou vertellen dat ook mijn man een maffioso was, en dat dan de smerissen zouden komen om de vader van mijn kinderen weg te halen. En Angelo begreep maar niet – of deed of hij niet begreep – dat ik geen andere keus had, dat door de manier waarop ik was opgegroeid en door de houding van mijn broers dit de enige weg was die voor mij openlag. Ik leek op een renpaard met oogkleppen: ik keek alleen maar recht vooruit en mijn enige doel was om de finish te halen.

Ook moest ik telkens naar Palermo. Vanuit de gevangenis liet Nardo me vaak bij zich roepen, en als ik een bezoek oversloeg of een week niet naar hem toe ging, zwaaide er wat voor me. Hij wilde op de hoogte gehouden worden van alles wat er buiten gebeurde en altijd had hij berichten die ik aan Vito moest doorgeven. Ik deed alles, rende heen en weer, maar ik raakte steeds vermoeider en gestrester. En op een dag, toen ik echt heel erg moe was, besloot ik om het bezoek aan mijn broer over te slaan. Dus gingen deze keer alleen zijn vrouw en dochter, die meestal met mij meekwamen, naar hem toe. Toen mijn broer zag dat ze alleen waren, begroette hij hen niet eens, maar zei meteen: 'Wat komen jullie doen? Waar is m'n zus?' Waaraan hij toevoegde: 'Ik heb m'n zus nodig. Wat is er? Wil ze niet komen? Is ze moe of zo?'

Hij werd vreselijk kwaad, en ik heb het daarna nooit meer gewaagd om een bezoek over te slaan. Of ik nu wel of niet wilde, ik moest erheen en telkens moest ik ook heel alert blijven, want wat hij zei moest ik woord voor woord doorgeven aan Vito. Dat was niet makkelijk... Eerst moest ik het allemaal goed begrijpen, daarna moest ik het onthouden, want aantekeningen maken kon natuurlijk niet... We spraken met korte zinnetjes, met toespelingen, en als het over Vito ging, gebruikten we codenamen als 'zu Peppino' of 'zu Nino', wat we ook deden als we het hadden over mannen uit de organisatie. We wisten dat er misschien afluisterapparatuur geplaatst was en dat ze ons dan konden horen of ons opnamen, en daarom namen we strenge voorzorgsmaatregelen in acht. Nardo wilde ook heel precies weten wat er buiten gebeurde, omdat hij de feiten in de gevangenis maar half en vervormd te horen kreeg. En vaak waren ze dan ook nog gekleurd door de manier waarop de familieleden van andere gevangenen of omgekochte cipiers ze weergaven. Hij moest zich een helder beeld kunnen vormen, want hij moest de beslissingen nemen. Het was belangrijk dat degene die hem vertelde wat er aan de hand was volkomen betrouwbaar was. En dat gold alleen voor mij. Alleen op mij durfde hij blind te varen, of het nu ging om zaken binnen of buiten de familie. Ik moest dus altijd heel goed opletten; als we elkaar verkeerd begrepen, kon dat wel eens iemands dood betekenen.

Al dat getrek aan mij, de spanning waarin Nardo steeds zat te wachten op mijn bezoek, bracht me in grote verlegenheid ten opzichte van zijn vrouw, die toch al een hekel aan me had. Hij had bij zo'n bezoek lang niet zoveel aandacht voor haar als voor mij, en dat maakte haar, en ook haar dochter Maria, jaloers. Zij begrepen niet dat wij heel andere rollen hadden. Vanuit hun standpunt gezien hadden ze misschien ook wel gelijk, maar ik had er geen schuld aan en kon er niets aan doen. Ik weet nog dat bijna elke keer dat ik hem in de gevangenis kwam bezoeken mijn broer wafelkoekjes voor me bij zich had, de koekjes die ik het lekkerst vind. Dat deed me veel plezier, ook al was het maar een kleinigheid... Maar zelfs die koekjes zetten al kwaad bloed bij mijn schoonzuster.

Die gesprekken met Nardo waren ook nodig om de verhouding tussen hem en Vito goed te houden. De een zat in de gevangenis en de ander zat buiten ondergedoken, en dus hadden ze een verschillende kijk op de aanpak van de zaken in ons district. Nooit waren ze het met elkaar eens. Als er bijvoorbeeld een belangrijke opdracht moest worden gegeven aan een van onze bendeleden, of als er een hoofd moest worden benoemd in een dorp dat binnen het territorium van onze familie lag, was het voor hen moeilijk om samen te bepalen wie de meest geschikte kandidaat was. En dan kwam ik ertussen. Ik kon me vrij bewegen, ik kon mensen ontmoeten, luisteren, me op de hoogte stellen... Bovendien was ik inmiddels ook echt ervaren geworden, ik begreep hoe dingen werkten. En waar mijn broers vroeger nooit mijn mening vroegen, waren ze nu op me aangewezen.

In die periode leerde ik alles wat er te leren viel over ons maffiadistrict en over de zaken van de Vitales. Na verloop van tijd voelde ik me steeds meer in staat om me met alles bezig te houden. Ook wilde ik mijn broers laten zien dat ik, als ze me dat zouden toestaan, zonder problemen hun plaats zou kunnen innemen, ook al was ik dan een vrouw. Of zij er toen ook zo over dachten, weet ik niet. In elk geval wilden ze me die voldoening niet geven. Maar wel spraken ze over mij met andere maffiosi en schepten ze over me op. Ondertussen gingen ze er wel gewoon mee door zich mijn leven toe te eigenen, en dan hadden ze ook nog allerlei kritiek op me. Als ik geen problemen met hen wilde krijgen, moest ik me bijvoorbeeld nooit laten zien met make-up op, of met bepaalde kleren aan... een minirok, of een te strakke broek... En dan was ik nog wel getrouwd en had ik twee kinderen! Als ik ging wandelen in het dorp met mijn man en kinderen, deed ik heus wel wat mascara en een beetje lippenstift op, maar als Vito me dan opeens nodig had, maakte ik razendsnel mijn gezicht schoon, en pas daarna ging ik naar hem toe.

Ook de omgang met Vito was heel moeizaam. Hij zat ondergedoken en wilde me elke dag zien. Elk moment kon er een mannetje van hem langskomen om me te halen. Dan wilde hij weten wat Nardo had gezegd, wat er in Partinico gebeurde, of me weer een of andere opdracht geven... En het was altijd heel moeilijk om bij hem te komen. Zijn favoriete schuilplaats was in het Mirto-gebied, achter de bergen rond Partinico, maar tijdens zijn onderduikperiode tussen 1995 en 1998 verbleef hij in een stal in Piana dell'Occhio, bij Monte Lepre, en ook wel in Borgetto, dat ook niet ver van ons dorp ligt. Soms kwam hij ook terug naar Baronia of Val Guarnera, maar dat was gevaarlijk en dus moest hij telkens van plek veranderen. Als hij iemand moest ontmoeten die niet van zijn eigen familie was, wat heel zelden gebeurde, was hij ongelooflijk voorzichtig. Hij had zelfs een nepbaard met een snorretje eraan aangeschaft, en uit Amerika hadden ze hem een pruik gestuurd. Elke keer dat hij die opzette, lachte ik hem uit, omdat hij zo leek op Zucchero, de zanger.

In Mirto verbleef hij in een stal van vrienden, tussen schapen en andere beesten. Om daar te komen moest je langs een gevaarlijke, steigende weg, die alleen maar uit losse stenen en zand bestond. Die weg liep om de berg heen en was zo smal dat je aan de rand van de afgrond moest rijden. Als ik naar hem toe ging, reed ik met gedoofde lichten en liep ik constant het gevaar in de diepte te storten. Uit angst reed ik zo dicht langs de rotswand dat ik de hele zijkant van de auto heb beschadigd. Meerdere keren heb ik zijn vrouw en kinderen met me meegenomen. Ook al moest ik dan heel goed uitkijken dat ik niet werd gevolgd, het was de enige manier om hem even bij zijn gezin te laten zijn zonder zijn schuilplaats te verlaten en gevaar te lopen. Vooral Giovanni, de oudste van zijn vier kinderen, hield het niet uit als hij zijn vader niet af en toe zag. Giovanni was echt een intelligente jongen. Toen hij heel klein was, ging hij al met Vito mee naar de boerderij, waar hij dan wilde werken als een groot mens. Ik ben altijd erg op hem gesteld geweest en ook nu draag ik hem nog in mijn hart. Op zijn vijftiende is hij gearresteerd wegens maffiapraktijken. Hij was de eerste en enige in Italië die op zo'n jonge leeftijd is gearresteerd op basis van artikel 416 bis. Tot op de dag van vandaag zit hij in de gevangenis…

Vito bezoeken was nog gevaarlijker geworden, omdat hij vaak samen met Giovanni Brusca zat ondergedoken. Nadat ze zu Totò Riina en zu Luchino Bagarella hadden gepakt, werd Brusca gezien als de nieuwe baas van Cosa Nostra. En ook werd hij gezien als een monster, als een mensenslachter, mede omdat Gioacchino La Barbera en Giuseppe Monticciolo, die met justitie waren gaan samenwerken, allerlei details over de aanslag in Capaci en de moord op de kleine Giuseppe Di Matteo hadden prijsgegeven... Dat Brusca degene was geweest die de afstandsbediening van de bom had ingedrukt waardoor Falcone de lucht in was gevlogen... Dat hij degene was geweest die de kleine Di Matteo had gewurgd en had laten oplossen in zoutzuur... Monticciolo had ook de naam van Vito genoemd in verband met een aantal moorden. Maar voor ons was Giovanni niet 'het Varken', zoals hij werd genoemd. Zoals ik al gezegd heb, gingen onze families met elkaar om, en Vito en hij brachten soms ook de feestdagen met elkaar door. Davide, de zoon van Brusca, was net zo oud als Michele, het vierde kind van Vito, en zo waren ook de kinderen bevriend geraakt. Ook Enzo, de broer van Giovanni, en zijn gezin kwamen vaak mee.

In mei 1996 kwam Vito een paar dagen bij mij thuis logeren. Hij vertelde me dat hij een reis aan het organiseren was en dat hij een tijdje uit Partinico zou wegblijven omdat hij naar Giovanni Brusca ging, die ergens bij Agrigento verbleef. Later heb ik gehoord dat het om het dorp Cannatello ging. Hij had besloten om alleen zijn vrouw en de kleine Michele met zich mee te nemen, omdat de andere drie kinderen, Giovanni, Mariella en Leonardo, naar school moesten. Die zouden bij onze moeder blijven. Voordat hij vertrok, moest hij me eerst de dingen doorgeven die gedaan moesten worden, de instructies voor onze zaken, dus. Het was de twintigste van de maand en we wilden net aan tafel gaan, toen een extra nieuwsbulletin de arrestatie van Giovanni en Enzo Brusca meldde. Daar liep Giovanni, met zijn handen achter zijn rug, tussen heel tevreden smerissen met bivakmutsen op, die hem het politiebureau van Palermo uit leidden. Hij keek somber uit zijn ogen, was ongeschoren en liet zich naar buiten dragen als een zak aardappelen. En die nieuwslezer ging maar door: 'het Varken, de Mensenslachter, het Monster, de moordenaar van Falcone, de beul van de kleine Di Matteo, de man achter honderden misdaden, de wreedste figuur uit de maffia van Totò Riina.' Dat was niet de Giovanni die wij kenden. Vito leek stijfbevroren; zo onbeweeglijk als een sfinx zat hij daar en zei geen woord. Als ze nog een paar dagen hadden gewacht, hadden ze ook hem gevonden, daar in dat huis in Cannatello. Deze keer was hij er goed afgekomen, maar het werd allemaal wel steeds moeilijker.

Na een paar weken kwamen de geruchten op gang… Er werd gezegd dat Brusca misschien met justitie was gaan samenwerken. Ik kon het niet geloven en vroeg aan Vito of er iets van waar kon zijn. Hij was heel kalm en zei me dat het om een opzetje ging. Dat Giovanni hem had gezegd hij van plan was om, als hij zou worden gepakt, net te doen of hij wilde samenwerken met justitie, om zo de politieonderzoeken in de verkeerde richting te sturen en om de echte maffiaspijtoptanten in diskrediet te brengen. Toch raadde mijn broer me aan om mijn ogen en oren goed open te houden, want je wist maar nooit…

In die periode moest ik steeds naar San Giuseppe Jato om

geld te brengen naar de moeder van Giovanni. De eerste keer bracht ik haar tien miljoen lire, en daarna telkens weer dat bedrag. Ik deed alsof er niets aan de hand was, vroeg haar hoe het met haar ging, of alles in orde was, of ze iets nodig had, of ze iets van haar zoon had gehoord… En iedere keer probeerde ze me gerust te stellen en zei ze dat er niets was om bezorgd over te zijn, dat ondanks de arrestatie alles gewoon bleef zoals vroeger.

Maar het was niet meer zoals vroeger. Ook Vito begon te vermoeden dat Giovanni's samenwerking met justitie wel eens echt kon zijn, en steeds vaker verwisselde hij van schuilplaats. Vooral vermeed hij de plekken waar hij samen met Brusca had gezeten. Ook zorgde hij ervoor dat hij niet meer in de buurt kwam van mensen die hij samen met Brusca had ontmoet. De enige die zich nog steeds vrij kon bewegen was ik, en ik ging almaar op en neer naar de moeder van Giovanni in San Giuseppe Jato. Maar ik ging ook langs bij zijn schoonfamilie, om ook daar wat geld te brengen, en om rond te kijken, om te luisteren, om signalen op te vangen die onze vermoedens zouden kunnen bevestigen of tegenspreken.

Zo gingen we een paar maanden door, tot er geen twijfel meer mogelijk was. Op een nacht waren de gezinnen van Giovanni en Enzo Brusca namelijk opeens van Sicilië verdwenen, en dat kon maar één ding betekenen: dat ze waren opgenomen in een getuigenbeschermingsprogramma, dat Giovanni's samenwerking met justitie echt was, dat ook 'het Monster' een 'smerige verrader' was geworden.

Maar er deed nog een ander gerucht de ronde: dat, ook al was hij dan gaan praten, Brusca geen woord over Vito had gezegd. Ik wist niet wat ik ervan moest denken… Misschien was het uit vriendschap, maar misschien was het ook uit angst voor de eventuele wraak van Vito op Brusca's familie-leden die nog in San Giuseppe Jato woonden. Hij wist nog beter dan ik hoe gevaarlijk mijn broer kon zijn, en nu was hij nóg machtiger geworden. Zijn bezigheden strekten zich uit tot ver buiten Partinico, tot in Palermo, en hij was ook begonnen zaken te doen met de provincie Trapani, die werd gedomineerd door een man voor wie Vito veel respect had: Matteo Messina Denaro. Vito was nu iemand geworden om echt bang voor te zijn.

VROUW VAN EER

Op straat wendden de mensen zich snel af om niet mijn blik te hoeven ontmoeten, of ze groetten me juist overdreven vriendelijk. Winkeliers gaven me grote kortingen, ook als ik er niet om vroeg, en zelfs cadeaus. Alleen al het uitspreken van onze achternaam wekte angst en respect. Wij waren de Fardazza-clan en er werden de allerslechtste dingen over ons gezegd. Of die nou waar waren of niet deed er niet toe, want in maffiagebied worden ook woorden stenen. Ook ikzelf vroeg me soms af of de dingen die ze over mijn broer zeiden waar waren of niet... Of hij echt zo machtig was als iedereen leek te geloven. Natuurlijk wist ik dat hij de naam had een bloeddorstig man te zijn en dat hij heel goed kon schieten. En ook wist ik dat, nu Luchino Bagarella en Giovanni Brusca in de gevangenis zaten, hij werd beschouwd als de erfgenaam van Riina, maar ik had er moeite mee dat te geloven. Hij was Vito, mijn broer. Voor mij was hij niet de meedogenloze figuur over wie de kranten schreven. Of misschien wílde ik het niet geloven, want als Vito echt de 'erfgenaam van Riina' aan het worden was, dan betekende dat dat hij dubbel in gevaar was: de smerissen had hij al achter zich aan, en daar kwamen dan die anderen, die van Bernardo 'de Tractor' Provenzano, nog bij.

Het was inmiddels wel duidelijk dat Provenzano niet dood was, en ook dat hij geen spook was geworden, zoals hij wilde doen voorkomen. Maar tussen hem en ons van de Fardazza-clan boterde het niet. Nino Giuffrè, die zijn rechterhand was, heeft later verteld dat Provenzano had gekozen voor een strategie van 'wegzinken onder de oppervlakte'. Om te voorkomen dat de staat, de carabinieri en de politie lastig bleven doen, wilde hij niet dat er nog zoveel grote aanslagen zouden worden gepleegd. Om goede zaken te doen was het nodig dat iedereen zich gedeisd hield en bereid was om eventueel een bittere pil te slikken. Partinico is Palermo niet, maar er werd gezegd dat Provenzano het op een akkoordje had gegooid met families die tijdens de maffiaoorlog naar Amerika waren gevlucht – de Badalamenti's, de Spatola's en vooral de Inzerillo's –, zodat die konden terugkeren. Wat had dat nou weer te betekenen? Die waren ooit doodverklaard, en moesten gewoon dood blijven. En bovendien had Provenzano in ons dorp Partinico altijd steun gegeven aan Nenè Geraci, Fifetto Nania en Maurizio Lo Iacono, die het niet konden verkroppen dat Vito maffiabaas van het district was geworden. Na de arrestatie van Riina waren er binnen Cosa Nostra zelfs stemmen opgegaan om Provenzano af te zetten. Vito en Nardo hadden me verteld dat Brusca, Matteo Messina Denaro uit Trapani en Mimmo Raccuglia, de 'dierenarts' uit Altofonte, maar ook maffiosi die in de gevangenis zaten, van plan waren om Provenzano te vertellen dat hij thuis moest gaan zitten en de huisvader moest spelen. Vito was heel nerveus: Provenzano wilde dat iedereen zich gedeisd hield, maar ondertussen was hij wel stilzwijgend bezig ons gebied over te nemen. Via Benedetto Spera was hij al tot in

Misilmeri gekomen, via andere mensen van hem bemoeide hij zich met onze zaken; dat konden wij Fardazza's niet zomaar laten gebeuren.

Voor mij betekende dit alles dat ik mijn ogen en oren wijd open moest houden, dat ik niemand kon vertrouwen, dat ik mijn hersens twee of drie zo hard moest laten werken, dat ik dingen moest voorzien, dat ik moest berekenen en anticiperen. En dat terwijl mijn leven doorging als altijd. Het was alsof ik in een tunnel liep. En bang was ik niet, want in dat soort situaties sta je er absoluut niet bij stil dat je in gevaar bent. Tenminste, je weet heus wel dat je continu in gevaar bent, maar je kunt het je niet permitteren om als een gewoon mens bang te zijn. Je moet steeds maar doorgaan, want als je stopt, is er altijd iemand die de kans grijpt om je te verneuken. Dat wordt de normale gang van zaken, en ik verweet het mijn man Angelo als hij zich weer eens ergerde omdat ik ervandoor moest om naar Vito te gaan, of Nardo moest bezoeken in de gevangenis. Ik probeerde echtgenote en moeder te zijn, ik werkte harder dan wie ook, en altijd moest ik rennen, het water stond me aan de lippen. Ik had geen zin om ruzie te maken met hem, dat was toch maar zonde van de tijd. Af en toe probeerde ik nog wel om als een normaal mens te leven, maar dan werd ik al snel weer op mijn taken gewezen – niet door mijn man, maar door mijn broer Vito.

Ik begreep pas goed hoe machtig hij was geworden toen Nina en ik een keer hadden besloten om met onze gezinnen – en met Mariella, de dochter van Nardo – een uitstapje te maken naar het eiland Favignana. Ik stond mezelf dus zomaar de luxe toe van een paar daagjes naar de Egadi-eilanden. Vanuit de hele wereld kwamen mensen naar die prachtige eilanden kijken en wij, die ze vlak bij ons hadden, waren er nog nooit geweest. We regelden alles en vertrokken in onze auto's naar Trapani, om daar de veerboot te nemen. Maar in de haven kreeg ik telefoon: een familielid was net bevallen en het kind was dood. In die omstandigheden konden we dat uitstapje niet laten doorgaan, dus gingen we terug. De week daarna probeerden we het opnieuw, dit keer ook met een tante erbij en met een van mijn nichten en haar gezin. Volwassenen en kinderen bij elkaar waren we met z'n vijftienen. Op de veerpont merkte ik meteen dat er iets niet in orde was. Bepaalde mannen waren ons aan het schaduwen, maar omdat het smerissen leken, maakte ik me er niet al te druk om. Door smerissen werd ik altíjd wel geschaduwd; daar was ik immuun voor geworden. Soms stonden er dag en nacht carabinieri voor mijn huis. Als ik naar buiten ging, groette ik ze gewoon en zei dan: 'Oké, jongens, we zijn klaar, we gaan weer weg.'

Toch was het wel een beetje raar dat ze ons ook volgden naar Favignana. Kleine eilandjes zijn geen ideale plekken om onder te duiken en dus kon Vito daar niet zijn. Waarom volgden ze me dan toch? Maar ik probeerde het te vergeten en te genieten van mijn korte vakantie. We hadden kamers in een klein pension, en het was daar prachtig. Die twee dagen vlogen voorbij. Maar ik was na terugkomst nog nauwelijks mijn huis binnen, of daar zag ik al een mannetje van onze bende aankomen.

'Je moet bij Vito komen.'

Ik kleedde me om, sprong meteen in de auto en reed naar het grote huis op het land waar mijn broer zich schuilhield. Natuurlijk lette ik goed op of ik niet gevolgd werd.

Vito had me niet echt iets dringends te melden. We bespraken alleen even wat er zoal gedaan moest worden, en toen ik wilde weggaan zei hij: 'Heb je me niks te zeggen?'

'Wat bedoel je?' vroeg ik.

Waarop hij zei: 'Vond je het leuk op Favignana? Is de zee daar mooi?'

Ik stond perplex. Ik had voor mezelf besloten om hem niets te vertellen over het uitstapje en had zelfs een blouse met lange mouwen aangetrokken om hem niet te laten zien dat ik bruin was geworden. Wat voelde ik me dom! Hij zat hier alleen en van iedereen afgezonderd, en toch wist hij waar we waren geweest en met wie. Het was duidelijk dat we op die boot waren geschaduwd om hem op de hoogte te houden. Het waren geen smerissen geweest, maar mannen van Vito. Als dat soort dingen gebeuren, begrijp je er echt even niets meer van. Had hij het gedaan om ons te beschermen, of omdat hij dacht dat ik de een of andere figuur ging ontmoeten? Vertrouwde hij me niet? En als hij me niet vertrouwde, was dat dan uit jaloezie, gewoon als broer dus, of als maffioso? Of was hij misschien bang dat we zouden worden gevolgd door zijn vijanden, en dat die ons wilden treffen om hem ertoe te verleiden zijn schuilplaats te verlaten, zodat ze hem konden afmaken? Dat zijn de vragen die je je dan stelt, en waarop je nooit antwoord krijgt, omdat het allemaal waar kan zijn, maar het tegendeel ook, al gaat het dan om je eigen broer. Of misschien juist wel daarom.

En ja, dan waren er natuurlijk ook nog de verhalen over mijn minnaars… Die duizenden minnaars van mij, want ze hebben me er heel wat toegeschreven. Of ik minnaars heb gehad, gaat niemand iets aan, maar voor minnaars heb je tijd nodig, en tijd had ik niet. Wel heb ik iemand leren kennen die, ook al hebben we niet eens gepráát over seks, voor mij heel belangrijk is geweest.

In 1997, een jaar voor mijn arrestatie, heb ik hem ontmoet. Het was een vriend van vrienden, maar niet uit het maffia-circuit. Hij kenden de advocaten van Nardo, die inmiddels zijn eerste levenslang had gekregen, en zo konden we elkaar vooral in Palermo ontmoeten. In die periode had ik allerlei problemen, vooral met Angelo, die steeds vaker begon te slaan, en deze man was bereid naar me te luisteren. Maar dat was het niet alleen; met hem voelde ik me een andere vrouw, hij deed een deur voor me open naar een wereld die ik niet kende, een wereld van fatsoenlijke mensen, gestudeerde mensen... advocaten, ingenieurs, wethouders... En als hij me voorstelde, zagen die mensen me niet als een van de Vitales, maar als een gewone jonge vrouw die met die man was meegekomen, die erbij kwam zitten en meepraatte. Ik vond dat allemaal heel fijn en fascinerend, omdat ik iemand wilde worden; ik wilde dat de mensen over me zouden praten, maar niet, zoals altijd gebeurde, in verband met criminaliteit. Ik wilde iemand worden, omdat ik niets had. Die man heeft me echt veel gegeven, omdat hij ervoor heeft gezorgd dat ik me echt mens kon voelen; hij heeft me vrouw laten worden doordat hij me heeft laten inzien wat echt belangrijk is.

Ja, ik was verliefd, maar het was een volkomen platoni-sche verliefdheid, en dat is de gevaarlijkste, omdat hij je zo diep raakt... Die man nam me mee naar de meest luxe cafés en restaurants van Palermo. Daar ontmoetten we de advo-caten, die naar me luisterden en me complimenten maakten. En ik, met mijn paar jaartjes middenschool en mijn afkomst, slaagde erin met dat soort gestudeerde mensen op gelijk niveau te converseren. Dat gaf me grote voldoening. Het is mogelijk dat Vito ook heeft geweten van deze man en van onze ontmoetingen in Palermo, maar in elk geval heeft hij me er nooit mee geplaagd.

Hoe lang kon mijn leven zo nog doorgaan? Het breekpunt kwam op 14 april 1998. Toen werd Vito gepakt in het dorp Borgetto, samen met een vrouw en met Pietro Fioretto Valenza, die hem in zijn huis onderdak had geboden. Hij had geen wapens bij zich en toen – zoals de televisie en de kranten hebben gemeld – de smerissen hem vroegen of hij Vito Vitale was, zei hij alleen maar: 'Ben ik niet.'

En dan die foto: een opgezwollen gezicht, een baard en snor van een paar dagen, doffe ogen... Maar hij leefde tenminste nog. Het eerste wat je je in dat soort situaties afvraagt is: wie heeft hem verraden? Want vuile verlinkers zijn er altijd. En je moet vechten tegen het gevoel van leegte, en tegen de adrenaline, waardoor je zin krijgt om de hele wereld in elkaar te slaan.

Bij de arrestatie van Vito hebben we trouwens heel wat trammelant gemaakt. Met de hele familie zijn we de volgende ochtend voor het politiebureau van Palermo gaan staan, en toen ze hem met handboeien om naar buiten brachten om hem in het arrestantenbusje te zetten en naar de gevangenis te brengen, zijn we hard gaan brullen en hebben we de politiemensen geschopt en geslagen, en ook trouwens het publiek dat daar stond en voor die politiemensen applaudisseerde. We hebben de boel flink op stelten gezet. Zelfs Angelo heeft klappen uitgedeeld, en ze hebben hem meteen gearresteerd wegens mishandeling van een ambtenaar in functie. Mijn schoonzuster Maria is de hele nacht bij dat politiebureau de wacht blijven houden en verklaarde voortdurend aan journalisten dat haar man absoluut geen maffiabaas was. Op het moment van zijn arrestatie was er een vrouw bij Vito, Girolama Barretta, en Maria heeft ook over haar het nodige gezegd, om te voorkomen dat er zou worden beweerd dat die Girolama de minnares van haar man was.

'Ze is zijn minnares niet, het is alleen maar een nichtje. Ik ben nooit bij mijn man weg geweest en heb die drie jaar dat hij ondergedoken zat gewoon met hem samengeleefd. Ook met Pasen was ik bij hem, in dat boerenhuis waar hij is gearresteerd. Toen hebben we nog pasta en kaas gegeten.'

Misschien hoopte ze dat de mensen het zouden geloven.

Nu deed zich een ander probleem voor, en bepaald geen kleintje: hoe moest het verder met de Fardazza-clan nu Vito was gearresteerd? In dit soort gevallen gaat het binnen Cosa Nostra zo dat óf een ander mannelijk lid van de familie de hele clan en het hele district overneemt, óf de familie volkomen uit beeld verdwijnt, en dan het doelwit kan worden van allerlei wraaknemingen. De oplossing werd gevonden door Nardo. Uit de gevangenis liet hij weten dat ik nu vooraan stond bij de Fardazza's, dat ons district nog in vertrouwde handen was en dat, vanuit de gevangenis, Vito en hij voor mij garant stonden. Voor mij, een vrouw. De eerste vrouw in de geschiedenis van de maffia die zo'n belangrijke functie mocht gaan bekleden.

HOE DE ONECHTE RIINA STIERF

We moesten erachter komen wie Vito had verraden. We moesten gedaan krijgen dat alle maffiosi zouden weten dat ik nu het maffiahoofd van Partinico was. We moesten op tijd de manoeuvres doorzien van de Lo Iacono-familie en van Provenzano, die zeker misbruik zouden willen maken van onze onzekere positie om ons uit de business en uit ons dorp te verdrijven. We moesten nieuwe, betrouwbare bendeleden zien te vinden, omdat er mensen waren die we een toontje lager moesten laten zingen. We moesten iedereen die met ons 'een regeling' had aan het verstand brengen dat de zaken gewoon zouden blijven doorgaan, net als vroeger, dat ze ons gewoon moesten blijven betalen. We moesten mensen vinden die onze inkomsten konden witwassen. We moesten proberen niet vermoord te worden.

Op 23 april, negen dagen na Vito's arrestatie, ging ik naar Nardo in de gevangenis, omdat we over al deze dingen moesten praten. Dat gesprek van ons heb ik later, toen ikzelf gearresteerd was en met justitie ben gaan samenwerken, zwart op wit gezien, omdat ze ons telkens afluisterden. En hoeveel voorzorgsmaatregelen we ook namen, praten was toch de enige vorm van communicatie die ons ter beschikking stond. Nardo was nerveus en gaf me steeds maar opdrachten. Maar zijn beide ogen in de wereld buiten de gevangenis, dat was ik. Ik kon inschatten welk gevaar er op ons afkwam, en dat legde ik hem ook voor. Ik vertelde hem dat Fifiddu, oftewel Fifetto Nania, contact had opgenomen met Provenzano via Salvatore Riina. Die laatste was niet Salvatore 'Totò' Riina, maar iemand die dezelfde naam had, en die ik Mortadella noemde, omdat hij een levensmiddelenwinkel had in ons dorp, dicht bij mijn huis. Deze Mortadella had in Partinico ook nog een woning verhuurd aan de zwager van Provenzano, Paolo Palazzolo. Nardo begreep meteen dat Maurizio Lo Iacono, Fifetto Nania en Mortadella ons in een hoek wilden drijven en hij herhaalde almaar tegen mij en tegen mijn neefje Giovanni, de zoon van Vito, dat deze figuren snél, snél, snél, afgemaakt moesten worden, 'voordat iemand jullie verraadt en laat afvoeren naar de slachtbank'. Zo heeft hij het precies gezegd.

Maar moorden organiseren is niet makkelijk. Je moet zorgen dat er van tevoren geen argwaan ontstaat, je moet de geschikte man zoeken en die mag niet bekend zijn in het dorp, je moet alle mogelijke voorzorgsmaatregelen treffen... Nadat ik er met Nardo over had gepraat, besloot ik Maurizio Lo Iacono om een gesprek te vragen. Ik wilde hem recht in zijn ogen kijken, horen wat hij te zeggen had en zien hoe hij me tegemoet zou treden. En ook wilde ik weten of hij degene was die achter alle brandstichtingen zat, die de laatste tijd steeds vaker voorkwamen in ons dorp. Met Provenzano was hij dikke vrienden, en omdat ook Lo Iacono zat ondergedoken, kreeg hij nooit bezoek. Toch heeft zijn dochter voor mij een ontmoeting geregeld. Ze zei me dat ik helemaal alleen moest gaan.

De plaats van onze afspraak was ergens in de omgeving van Partinico, in een onbewoond gebied. Zoals afgesproken ging ik er alleen naartoe. Toen ik er aankwam, zag ik dat er daar twee auto's rondreden, op een stuk terrein waar nooit een kip te bekennen was. Lo Iacono zag ik niet, maar die twee auto's waren daar voor mij. Niet ver daarvandaan hadden mijn broers een oud boerenhuis waarin ze wapens hadden opgeslagen; daar vluchtte ik snel heen. Ik wilde niet sterven zonder me te hebben verdedigd. En het zou niet de eerste keer zijn dat ik met een wapen in mijn handen voor mezelf en mijn broers moest opkomen. Dat was ook een keer gebeurd met Vito. Hij had me meegenomen naar een gesprek met twee ondergedoken bendeleden van ons, schoonvader en schoonzoon, die uit ons dorp weg wilden omdat hun 'schoenen te krap zaten', wat betekent dat ze hadden begrepen dat ze elk moment gearresteerd konden worden. Ze wilden weg van Sicilië, uit Italië zelfs, en ze vroegen Vito om toestemming. Mijn broer gaf die ook, omdat het onbelangrijke mensen waren, maar toch werden ze kwaad en begonnen ze te schreeuwen en te schelden.

Toen ik daar verscholen zat in dat boerenhuis, moest ik weer denken aan de enorme stoot adrenaline die er door me heen ging toen ik mijn broer dekking moest geven. Maar nu ging het om mij, en ik was helemaal alleen. De mannen in die twee auto's vertoonden zich verder niet, en Lo Iacono evenmin. Door bemiddeling van de zoon van Mortadella, Giuseppe Riina, heb ik Lo Iacono later nog wel ontmoet, meerdere keren zelfs, bij Terrasini en in Palermo. Hij heeft me verzekerd dat hij persoonlijk met die aanslagen niets te maken had, maar de boodschap was evengoed duidelijk genoeg. Volgens mij loog hij. In elk geval besloot ik om voort-aan bij bezoeken aan andere maffiosi telkens iemand mee te nemen.

De enige die ik had om me bij te staan was Michele Sei-dita, een van onze oudere werkmensen die ik al kende sinds mijn kindertijd. Hij was in de kerk als peetvader opgetreden voor mijn zus Nina, en ikzelf was peetmoeder van een van zíjn kinderen. Bij ontmoetingen op onderduikplaatsen of bij vergaderingen met andere hoge maffiosi nam ik hem altijd met me mee, en soms ook mijn man Angelo, alhoewel die niets te maken had met de zaken van mij en mijn familie. Ie-dereen wist inmiddels dat Nardo en Vito voor mij garant stonden. Ik had dat zelf meegedeeld aan Ignazio Melodia uit Alcamo, Mimmo 'de dierenarts' Raccuglia uit Altofonte, Matteo Messina Denaro, Davì Giò, Salvatore Coppola en An-tonio Sciortino. En Michele Seidita deed ook zijn best voor me. Later is hij gearresteerd en is ook hij gaan samenwerken met justitie.

Michele is degene die de moord op Mortadella, die on-echte Riina, heeft georganiseerd. Daar was natuurlijk tijd voor nodig. Eerst ging ik samen met Seidita praten met een andere Fifiddu, zu Fifiddu Soffietto, tegen wie Mortadella had gezegd dat wij Fardazza's niets meer voorstelden. Die Mortadella probeerde steeds meer armslag te krijgen en wil-de ook binnendringen in de business van de bouwprojecten. Op die heldendaden van hem durfde hij zich ook nog te la-ten voorstaan. Hij voelde zich sterk omdat Nardo en Vito in de gevangenis zaten en zijn vrienden Lo Iacono en Nania goeie maatjes waren met Provenzano.

We begonnen hem te schaduwen om te zien waar hij zoal naartoe ging, wat voor vaste gewoontes hij had en wat de beste plek was om hem om zeep te helpen. Aanvankelijk wilde Seidita hem vermoorden in een villaatje bij zee waar hij soms was, maar dat idee lieten we varen, omdat het te veel onzekerheden met zich meebracht. Stel je voor dat je de aanslag voor een bepaalde avond op touw zet, en dat hij net dan niet verschijnt. De enige plaats waarnaar hij zeker telkens terugkwam, was de garage bij zijn huis. Maar die lag midden in het dorp, dus moesten we alles zorgvuldig voorbereiden. En in de gevangenis liep Nardo maar te stampvoeten. Hij schold ons zelfs uit, omdat we er nog niet in waren geslaagd om de onechte Riina uit te schakelen.

'Jij denkt zeker dat het een fluitje van een cent is…!' zei ik tegen hem toen ik eind mei samen met zijn vrouw bij hem op bezoek was.

'Ik weet dat het geen fluitje van een cent is,' zei hij, en hij moest even lachen.

'Nou dan!'

Toen werd hij weer woedend.

'Ga 't hem dan maar vertellen, schiet maar op! Ga allemaal maar gewoon weer op het land werken! Belachelijk zijn jullie! Pak allemaal maar een schep en ga spitten, dat is beter voor jullie! We praten nergens meer over, er is niks meer om over te praten! We zijn hier niet in het parlement! En we zijn ook niet in een hoerenkast! Doe maar wat jullie willen, zoek het allemaal zelf maar uit!'

Dat was zijn manier om ons te laten voelen dat we mislukkelingen waren omdat we niet in staat waren een winkeliertje af te maken dat het te hoog in zijn bol had gekregen en ons wilde dwarsbomen. Volgens Nardo moesten we, behalve Mortadella, ook Salvatore Coppola, Maurizio Lo Iacono en Fifetto Nania ombrengen, dus eigenlijk alle mannen van Provenzano in het maffiadistrict Partinico. Makkelijk gezegd...

Maar Mortadella, die onechte Riina, hebben we wel weten uit te schakelen. Op 20 juni 1998 wachtte een schutter hem op in die garage bij zijn huis en schoot hem dood. Wie was die schutter? Hier wordt het verhaal ingewikkeld. Mijn versie van de toedracht komt namelijk niet overeen met de weergave die Michele Seidita heeft gegeven toen hij met justitie is gaan samenwerken.

Volgens Michele had hij mijn man Angelo Caleca de opdracht gegeven om Riina in de gaten te houden. Ons huis stond dicht bij dat van hem, zodat Angelo niet zou opvallen als hij daar zou rondlopen. De ochtend van de moord had hij Angelo gezegd dat hij 's avonds om tien uur bij hem langs zou komen om het pistool op te halen dat wij hem moesten leveren. Daarna zou hij – op de fiets, om niet in de gaten te lopen – het 'moordje' gaan plegen. Ik geloof niet dat de rechters hebben geloofd wat hij heeft verteld over hoe het is gegaan. Volgens hem heeft hij zich verkleed – dat wil zeggen, hij heeft een joggingpak en een windjack aangetrokken. Nadat hij het pistool had opgehaald dat Angelo hem zou hebben gegeven in een schoenendoos, heeft hij dat tussen het elastiek van zijn joggingbroek gestoken. Toen heeft hij nog een mutsje op zijn hoofd gezet en is op de fiets weggereden om een plaatsje te zoeken in of bij de garage van Mortadella. Toen Riina zijn auto kwam wegzetten, zou Michele hem hebben doodgeschoten, waarna hij weer op zijn fiets is gesprongen om na een rit van ongeveer een kilometer weer uit te komen bij de schuur waar hij eerder op de avond was vertrokken. Daar heeft hij zich weer omgekleed en heeft hij zijn kleren en het pistool laten verdwijnen. Die kleren heeft hij verbrand, en wat er toen nog van over was, heeft hij in een vuilcontainer gegooid. Het pistool heeft hij verstopt en een paar dagen later in zee gegooid. Hij heeft zelfs beweerd dat hij na de moord zijn handen heeft gewassen met zijn eigen urine, omdat je zo kruitsporen kunt uitwissen.

Michele Seidita was geen jonge vent meer, en in die tijd was hij ook nogal zwaar van postuur. Met een joggingpak aan zou hij zich in het dorp niet onopgemerkt kunnen voortbewegen, maar juist des te meer opvallen, of hij nou wel of niet een mutsje op zijn hoofd had, en ook al was het al tien uur 's avonds. Ik geloof dat hij aanvankelijk zelfs aan de onderzoeksrechters heeft verteld dat hij ook nog een pruik had opgezet, wat hij later weer heeft ontkend. En dat pistool zou hij tussen het elastiek van zijn joggingbroek hebben gestoken? Als je zweet glijdt dat toch weg…? Ik kan het me, kortom, niet voorstellen: Michele die heftig zwetend door het dorp fietst, iemand doodschiet en weer naar huis gaat. Als het geen drama was, zou het een klucht lijken. Volgens mij is het allemaal heel anders gegaan.

Salvatore Riina is vermoord door Franco, oftewel Salvatore Francesco Pezzino, de zwager van Seidita. Misschien heeft die laatste de schuld op zich genomen om zijn familielid buiten schot te houden. Nardo had me Pezzino aangewezen als een van zijn mannen op wie je echt kon vertrouwen, iemand die voor de Brusca's had gewerkt, en ook voor Totò Riina, de echte. Hij zat in de gevangenis in Toscane, maar we hadden gehoord dat hij met verlof naar Sicilië mocht komen om zijn moeder te bezoeken, en daarna weer terug moest. Dat was perfect voor onze plannen. Toen Pezzino naar Partinico was gekomen, heb ik persoonlijk met hem over die zaak gesproken, en hij zei me dat het in orde zou komen. Daarna zijn Pezzino en Seidita Mortadella gaan schaduwen en hebben ze die garage ontdekt waar hij elke avond zijn auto stalde. In de Via del Merlo was dat, dicht bij zijn huis en het mijne. In het dorp hadden we gehoord dat Riina op 20 juni, een zaterdag, naar een verjaardagsetentje zou gaan. Het plan was om hem die avond op te wachten bij zijn garage en hem te vermoorden.

Op 20 juni gingen Angelo en ik om acht uur 's avonds naar pizzeria Mirage in Trappeto, die van een familielid van mijn man was. De zaak was net geopend en de eigenaar kon wel wat hulp gebruiken. Met Pezzino had ik afgesproken bij mij thuis, om tien uur, kwart over tien, omdat ik hem het pistool moest geven dat ik al een paar dagen daarvoor had weten te bemachtigen, en ook de fiets waarop hij na de moord zou wegvluchten. We hadden onze kinderen meegenomen naar de pizzeria, en de broer van Angelo en zijn vrouw waren er ook; we waren dus met flink wat mensen. Ik was niet aan tafel gaan zitten, maar had meegeholpen bij het bedienen. Tegen tien uur zei ik tegen mijn man dat ik even op en neer naar huis moest, om voor Francesco wat dingen te halen die ik had vergeten mee te nemen. En Angelo meteen: 'Wat krijgen we nou? Heb je de tas met spullen niet meegebracht?' Ja, die tas had ik wel meegebracht, maar ik was zijn pyjama vergeten... Prompt kregen we weer ruzie. Hij was jaloers en dacht dat ik naar een of andere minnaar wilde. Om het niet al te lang te maken, zei ik tegen hem dat als hij zo moeilijk deed, hij dan maar met me mee moest komen. Bij ons huis vroeg ik hem te wachten in de auto terwijl ik even snel naar boven ging om dat zo belangrijke pyjamaatje te halen… Ik had even tijd nodig, omdat ik op Pezzino moest wachten. En terwijl ik in de weer was in de klerenkast van mijn zoontje, belde Angelo beneden aan en zei door de intercom dat mijn maatje Seidita was langsgekomen, met zijn zwager Franco Pezzino. Met Pezzino ging ik naar onze garage, waar ik hem het pistool en de fiets gaf, terwijl Michele bij de voordeur was blijven praten met mijn man. Na een minuut of tien was hij weer weggegaan.

Toen ik Pezzino het pistool gaf, verborg hij het meteen in zijn heuptasje. Hij had wél echt sportkleding aan: zo'n zwart strak setje als wielrenners vaak dragen. Ook had hij van die halve handschoentjes en een gekleurde zonneklep… Een pruik had hij niet, en dat was ook niet nodig, omdat bijna niemand in Partinico hem kende.

Angelo en ik zijn toen teruggegaan naar de pizzeria, en daar bleken inmiddels, vlak bij de deur links, de zoon van Mortadella, Giuseppe Riina, zijn meisje en nog wat vrienden te zitten. Meteen toen hij ons zag, kwam Giuseppe ons begroeten. Hij begon ook wat te dollen met Francesco en liet hem zelfs paardjerijden op zijn rug… Ik ging weer door met helpen bij het bedienen. Op een bepaald moment, terwijl ze nog helemaal niet klaar waren met hun pizza's en patat, zagen we ze ineens de deur uit schieten. De anderen wisten niet wat er gebeurd was, maar ik wel. Kennelijk had iemand Giuseppe Riina op zijn mobieltje gebeld en hem verteld dat zijn vader was vermoord.

Met Angelo en mijn kinderen ben ik tot middernacht in

de pizzeria gebleven. Toen verscheen daar Pino Amato, die me zei dat Michele Seidita me wilde spreken. Bij Seidita thuis zat de hele familie bij elkaar, ook Pezzino was er. Ik werd vrolijk begroet, het leek wel een feestje. Seidita zat te lachen en ik vroeg hem: 'Waar lach je om? En waarom heb je me laten komen? Hadden we elkaar niet morgen kunnen spreken?'

'Nee, ik wilde graag even met je proosten, maatje van me… Mag dat ook al niet meer?'

Maar het leek me absoluut geen moment om feest te vieren en ik wilde snel met mijn gezin naar huis. Seidita liep nog met me mee naar de deur en daar, zonder dat de anderen het konden horen, zei hij tegen me dat Pezzino 'alles geregeld' had.

DE ADELAAR EN DE KIP

Bericht voor een adelaar die denkt dat hij een kip is. Dat is de titel van een boek van Anthony De Mello dat ik van mijn advocaat heb gekregen nadat ze me hadden gearresteerd. Want gearresteerd hebben ze me, en snel ook: op 25 juni 1998. Mijn achternaam Vitale had ik al, maar nu waren er ook nog alle opnamen die ze hadden gemaakt in de gevangenis als ik daar met Nardo aan het praten was... Of ik het verwacht had? Nee, ik had het niet verwacht, want als je midden in dit soort toestanden zit, denk je daar niet over na, anders kun je geen stap meer zetten. Het is net als met angst: die heb je constant, maar je verbiedt jezelf die te voelen, je doet net of je er niets van merkt, want anders kan die angst je dood betekenen. En als het dan echt gebeurt, als je met je neus op de feiten wordt gedrukt doordat ze je arresteren, word je razend, maar besef je tegelijkertijd dat het niet op een andere manier had kunnen aflopen. Je probeert nog steeds de schuld aan anderen te geven, aan de smerissen, aan de verraders, aan het noodlot, aan de wreedheid van God zelfs, maar in je hart weet je dat die smoes niet meer werkt. En dan begin je eindelijk echt na te denken.

Nadenken moest ik altíjd wel: ik moest vliegen en rennen, werken, situaties inschatten, problemen voorzien... Maar geen moment realiseerde ik me echt wat ik aan het doen was. Ik leefde in een film die niet de mijne was, maar die van Nardo, van Vito, van Michele... Het was het verhaal van mijn broers, niet dat van mij. En dat boek dat ik van mijn advocaat had gekregen heb ik misschien wel honderd keer gelezen, ik heb het zo ongeveer uit mijn hoofd geleerd. Dat was in de tijd dat ik opgesloten zat in celletjes van één bij twee meter, dat ik niet at, niet sliep, en langzaam doodging, ver van mijn kinderen en het leven dat ik altijd had geleid. In dat boek staat dat het niet nodig is alleen maar te leven om te voldoen aan de verwachtingen van anderen, ook al houd je heel veel van die anderen en zij van jou. Dat is geen echt leven. Er staat ook in dat de meeste mensen niet op een bewuste manier hun leven leiden. Ze leven mechanisch, hebben mechanische gedachten (de gedachten van iemand anders, meestal) en mechanische emoties; ze handelen en reageren op een mechanische manier.

Wat zou er gebeurd zijn als ik niet in Partinico was geboren? Als ik in plaats van een vrouw een man was geweest? Als ik niet Nardo, Vito en Michele als broers had gehad? Door hen heb ik me altijd laten vertellen wie ik was en wie ik moest zijn. Ik wilde net als zij worden, altijd hoopte ik dat ze trots op me zouden zijn. In dat boek staat ook: 'Wilt u weten hoe mechanisch u eigenlijk bent? Denk dan aan de blouse die u aanhebt, en bedenk hoe blij u bent als iemand tegen u zegt dat die blouse mooi is.' In mijn geval ging het niet over mijn blouse, maar over mijzelf! En er staat ook dat op het moment dat je ertoe komt je af te vragen: 'Maar wie ben ík nu eigenlijk?', je lijden begint. En ik leed heel erg. In die Giuseppina van vroeger zat ik goed, voelde ik me sterk, bijna altijd. Maar nu, terwijl ik erover nadacht wie ik was – alleen maar ik –, was ik er vreselijk aan toe. Ik voelde me zwak en kon me geen enkele voorstelling maken van een toekomst voor mij en mijn kinderen.

Maar dat was nog geen aanleiding om met justitie te gaan samenwerken. Ik wist dat als ik zou gaan praten, ik over alles de waarheid zou vertellen, want ik ben niet gewend mijn verantwoordelijkheden te ontlopen. Mijn advocaat zal dat trouwens zo lang hij leeft kunnen bevestigen. Maar ik was er nog niet aan toe te gaan samenwerken. In het begin dacht ik dat ik me er op een of andere manier wel doorheen zou slaan. Ik heb in de gevangenis gezeten van 25 juni 1998 tot 25 december 2002, op beschuldiging van maffia-activiteiten; het beruchte artikel 416 bis, dus, dat mijn familie altijd al het leven zo zuur had gemaakt. Maar op 3 maart 2003 werd ik opnieuw gearresteerd, deze keer op beschuldiging van het beramen van de moord op de onechte Salvatore Riina. Ik verwachtte al in een verzwaard gevangenisregime terecht te komen; nog hoop koesteren had geen zin meer, en weer terugkomen in de gevangenis nadat je vrij bent geweest, is het allerergste. Mijn kinderen werden in die tijd opgevoed door Nina; ik herkende ze amper nog. Alle familieleden die me, wanneer ik daar recht op had, kwamen bezoeken, zaten aan één stuk door te huilen en ik was dan degene die ze moed moest inpraten. Maar ik was natuurlijk ten einde raad. En toen kwam het toeval ertussen, of misschien moet ik zeggen dat de wanhoop een meesterwerk tot stand heeft weten te brengen. Ik kwam Alfio Garozzo weer tegen.

Garozzo had ik leren kennen ongeveer een jaar voordat ik gearresteerd werd, ergens in 1997, denk ik. Hij liet zich Luigi noemen en ik heb hem meerdere keren ontmoet omdat hij degene was aan wie ik het geld overdroeg dat moest worden witgewassen. Een man in Ragusa was onze tussenpersoon. Als het nodig was, belde ik die en regelde hij een afspraak met Garozzo voor me. Ik heb Garozzo toen hij niet meteen weer kon vertrekken zelfs een keer laten overnachten in een van de boerenhuizen die wij hadden in Baronia. Met hem was ik echt bevriend geraakt. We hadden verder niets met elkaar, het was alleen maar een vriendschap tussen twee mensen die zaken met elkaar doen. Hij had iets waar ik geen greep op kon krijgen. Arrogant was hij; altijd kwam hij aanrijden in grote protserige auto's, en hij wilde maar niet begrijpen dat in een klein dorp als Partinico dat soort dingen opvallen en argwaan wekken. Omdat hij altijd mooie vrouwen had gehad, dacht hij bovendien dat elke vrouw meteen aan zijn voeten zou gaan liggen. Hij heeft een keer geprobeerd me te zoenen, maar dat leverde hem een flinke pets op zijn wang op, en omdat hij zo verwaand was, deed ik trouwens nog arroganter dan hij. Maar ik moest hem wél te vriend houden: met Nardo en Vito in de gevangenis had ik mijn eigen circuit nodig van mensen op wie ik kon vertrouwen... En ik was ook heel somber in die tijd... Ik moest moorden beramen, waarbij ik van mijn broers in de gevangenis telkens maar te horen dat ik alles fout deed. En als ik dan naar huis ging, maakte mijn man ruzie met me en gaf me een pak slaag... Ik redde het gewoon niet meer, en er waren dagen dat ik wilde wegvluchten om al die ellende voorgoed achter me te laten. Tegen Garozzo heb ik een keer gezegd dat ik weg wilde, en toen zei hij heel kalm: 'Maak je niet druk, ík zal zorgen dat je kan vluchten.'

Waarna hij me een deal voorstelde die me volgens hem een enorme hoop geld zou opleveren en me in staat zou stellen het roer definitief om te gooien. Dat leek me inderdaad wel wat, maar helaas hebben ze me korte tijd later gearresteerd en is er niets meer van gekomen.

Ik dacht dat ik Garozzo kende, maar ik bleek niets van hem te weten. Toen ik al in de gevangenis zat, hoorde ik op een dag dat een maffioso die was gaan samenwerken met justitie een vreselijk auto-ongeluk had gehad: dat was hij! Ik had al het geld dat moest worden witgewassen dus telkens in handen gegeven van iemand die met justitie samenwerkte, wat voor mij hetzelfde was als een smerige verrader! Hij had het ongeluk overleefd en in zijn gehavende auto hadden ze een smak geld gevonden. Zo moeilijk als dat was vanuit de gevangenis, ben ik er toch in geslaagd om hem een paar briefjes toe te spelen, waarin ik vroeg waar míjn geld gebleven was. Daarover moest ik namelijk rekenschap afleggen aan mijn broers. Maar ik kreeg niets te horen: ik zat in een verzwaard regime, betrouwbare contacten om me heen had ik niet en bovendien sleepten ze me zonder aankondiging van de ene naar de andere gevangenis. Ik heb in Trapani gezeten, in Bologna, Messina, Lecce en Palermo, en overal zorgde ik ervoor dat niemand iets op me kon aanmerken en dat ik zo min mogelijk mijn mond opendeed. Natuurlijk zag ik wat er om me heen gebeurde: briefjes die, weggestopt in aanstekers, naar binnen kwamen en naar buiten gingen, cipiers die deden of hun neus bloedde, die zich pakjes sigaretten lieten toestoppen... Maar dat interesseerde me allemaal totaal niet. Er heeft een keer een jongen contact met me gezocht die zei dat hij een vriend was van mijn broers en zich graag 'ter beschikking' wilde stellen. Ook daarop ben ik niet ingegaan. Ik deed mijn best om mijn waardigheid te behouden, maar het gebeurde steeds vaker dat ik, zoals ik al eerder zei, dagenlang niet at, niet sliep en alleen maar bewegingloos op mijn bed zat en de tijd liet verstrijken. Ik zag dan niets dan leegte voor me.

Totdat ze me overplaatsen naar de Pagliarelli-gevangenis van Palermo, waar ik terechtkom in een cel onder een mannenpaviljoen van maffiosi die ermee zijn gestopt met justitie samen te werken. Ik had daar iedereen verwacht behalve Garozzo, maar juist hij bleek daar te zijn. Ze hadden hem gearresteerd in 2001, en hij moest zitten tot 2012. Dat wist ik toen nog niet, zoals ik ook niet wist dat ze hem uit het getuigenbeschermingsprogramma hadden gegooid, maar hij heeft daar contact met me gezocht. Hoe hij erachter is gekomen dat ik daar, in een cel vlak onder hem, ook zat, weet ik niet. Misschien heeft hij iemand omgekocht, misschien heeft hij mijn stem herkend, of misschien heeft hij het ontdekt in het winkeltje van de gevangenis, waar van iedereen die iets koopt de voor- en achternaam worden genoteerd… In de gevangenis weten ze vaak meer dan buiten… In elk geval begon hij me te roepen, briefjes bij me te laten bezorgen en op zijn vloer – mijn plafond, dus – te kloppen. Hij zei steeds maar dat hij me wilde helpen. Hij schreef: 'Bezorg me alle stukken van je rechtszaak, dan haal ik alles onderuit', dat soort dingen. Wat moest ik doen? Ik was wanhopig daar, tussen al die onbekende mensen die, als ze de kans kregen, me ook nog kwaad wilden doen en me uitscholden. En dus besloot ik hem te geloven. Inmiddels wist ik wel dat hij met justitie had samengewerkt, maar op dat moment wilde ik hem geloven.

Ik heb hem dus de papieren van mijn rechtszaak toegespeeld, de rechtszaak over de moord op de onechte Riina, waarin Michele Seidita, die inmiddels was gearresteerd, had verklaard dat hij die moord had gepleegd op bevel van mij en mijn broers, maar waarin hij bovendien mijn man had betrokken, door te beweren dat, op de avond van 'dat moordje', Angelo hem het in een schoenendoos verborgen pistool had gegeven. En dat was niet waar. Net zoals het hele verhaal dat hij had opgehangen over het joggingpak, de fiets en de pruik niet waar was. Wat Garozzo wilde doen, was Seidita onderuithalen. Hij wilde zelf bij de rechtszaak verschijnen om daar te getuigen dat mijn 'maatje' Michele had gelogen. Garozzo wilde dus zélf een valse getuigenis afleggen. Dat was het plan, tot hij me op een gegeven moment begon voor te houden dat alles veel eenvoudiger zou zijn als ikzelf zou gaan getuigen, maar dan in samenwerking met justitie.

Tot dat moment was die mogelijkheid nog geen seconde bij me opgekomen. Voor mij was iemand die met justitie samenwerkte nog steeds een smerige verrader en ik liet het aan mijn advocaten over om me uit alle ellende te halen. Ik woog nog maar veertig kilo, ik deed geen oog meer dicht, 's nachts niet en overdag niet... Ik kon niet meer goed nadenken. En Garozzo bleef maar drammen: 'Ik regel het wel dat jij gaat samenwerken met justitie, wacht maar af... Het is de enige keus die je hebt...' Ik geloofde er nog niet in. Maar toen begon hij met dreigementen – niet gericht op mij, maar op mijn kinderen. 'De enige manier om jou te overtuigen,' schreef hij, 'is het leven nemen van je kinderen en dat van wie je het meest dierbaar zijn.' Hij zei me ook dat hij met mij een nieuw bestaan wilde beginnen, ook met Francesco en Rita erbij. En op een dag liet hij me een foto bezorgen van mijn kinderen die aan het spelen waren op de boerderij. Toen werd ik echt bang. Toen Nina bij me op bezoek kwam, heb ik haar gevraagd: 'Heb je Francesco naar de boerderij laten gaan? Francesco mag absoluut niet naar de boerderij!'

Op een gegeven moment was ik echt ten einde raad en liet ik aan de directrice van de gevangenis weten dat ik wilde samenwerken met justitie. Maar voor Garozzo was dat niet genoeg. Hij begon me nog strenger te controleren, omdat hij wilde dat ik heel duidelijk zou verklaren dat hij degene was die me zover had gekregen, dat hij en ik een eenheid vormden, dat ik alleen zou praten als hij erbij was, omdat we van elkaar hielden en samen in een getuigenbeschermingsprogramma wilden worden opgenomen. Nu mocht ik helemáál niet meer praten met de vrouwelijke cipiers, moest ik de hele dag in mijn pyjama blijven lopen en in mijn cel blijven, en moest ik hem elke dag een brief van minstens elf kantjes schrijven om hem alles te vertellen wat ik deed en wat ik dacht... Ik mocht geen moment aan iets anders denken dan aan hem. Hij is er zelfs een keer in geslaagd om, terwijl ik sliep, een blad wit papier op mijn bed te laten leggen...

Ik had een pact met de duivel gesloten; ik was er echt van overtuigd dat Garozzo negen zielen in zich droeg...

Het was juli 2004, ik was tweeëndertig, en voor het eerst ontmoette ik de officier van justitie van Palermo Piero Grasso en de onderzoeksrechter Maurizio De Lucia. Wat ik moest zeggen, had Garozzo me vrijwel letterlijk ingefluisterd. Wat ik vooral moest benadrukken, was dat ik had besloten om te gaan samenwerken met justitie omdat ik verliefd was geworden; en dat heb ik ook gedaan. Ik heb hem van a tot z gehoorzaamd, hij had me volkomen geprogrammeerd. Maar één ding was me duidelijk: mijn probleem heette Alfio Garozzo. Ik moest me zo snel mogelijk van hem bevrijden, omdat ik anders gek zou worden. Ik liet de directrice van de gevangenis roepen en verzocht haar, omdat het ging om een zaak van leven of dood, Grasso en De Lucia snel opnieuw te laten komen. Ze kwamen, en kregen van mij te horen dat ik niet meer wilde samenwerken… dat ik er nog over moest nadenken… dat ik van niets zeker was. Eén ding kreeg ik in elk geval voor elkaar: ze haalden me weg uit Palermo en zetten me gevangen in Lecce. Dat was een speciale gevangenis voor maffiosi, met een heel zwaar regime. Daar kreeg ik op een dag een verlovingsring bezorgd. Afzender: Alfio Garozzo.

IK, GIUSEPPINA VITALE

Maar het bewijs van partnerschap met Alfio Garozzo kreeg ik toegestuurd in de Rebibbia-gevangenis in Rome, toen ze me, na Lecce, voor de zoveelste keer hadden overgeplaatst. Het was september 2004 en mijn situatie was niet verbeterd. Ik zat in een vieze cel waarin ratten rondliepen, echt waar. Ik ben altijd bang geweest voor ratten, maar nu was er ook nog het probleem dat ik echt ziek was geworden. Nog steeds at ik niet en slaap ik niet, en de vrouwelijke cipiers hielden me dag en nacht in de gaten omdat ze bang waren dat ik zelfmoord zou plegen. Tijdens dat verschrikkelijke lijden, en omdat die duivel ver weg was, begon ik eindelijk echt over mezelf na te denken, over wie ik was en wat ik wilde. Van Garozzo heb ik nooit gehouden, maar wel is hij me van nut geweest om te leren begrijpen dat hij niets anders was dan een nieuwe versie van mijn broers: allemaal mannen die je leven willen beheersen, die je laten doen wat zij willen, tot je niet eens meer weet wie je zelf eigenlijk bent.

Op 16 februari 2005 ben ik begonnen samen te werken met justitie, en deze keer serieus, omdat ik zélf die beslissing had genomen, zonder naar Garozzo te luisteren. Ik vertrouwde nu alleen nog maar op Giuseppina, en op haar wil om weer te gaan leven. De kranten begrepen er niets van. Die schreven alleen maar over me: 'Lady Maffia komt tot inkeer door de liefde'... En Garozzo bestookte ze met telegrammen en met persberichten die hij naar het nationale persbureau ANSA stuurde. Toen begin maart het bericht werd gepubliceerd dat 'de bloeddorstige maffiabazin van Partinico' samenwerkte met justitie omdat ze verliefd was geworden op ene Giuseppe Garozzo, en ze dus een verkeerde voornaam in de krant hadden gezet, heeft hij, Alfio, aan iedereen – en het eerst aan de ANSA – laten weten dat híj mijn partner was en dat er een fout was gemaakt met zijn naam. Hij kon toen nog niet weten dat hij nooit in mijn beschermingsprogramma zou worden opgenomen, omdat ik een andere weg was ingeslagen. Maar daar zou hij snel genoeg achter komen.

Op 20 maart 2005, toen ze me kwamen meedelen dat mijn kinderen eindelijk waren opgenomen in het beschermingsprogramma, slaakte ik een zucht van verlichting. Nu was die nachtmerrie ook voorbij. De hele nachtmerrie van mijn leven was voorbij.

Als ik het nu zeg, gelooft niemand me, maar in de gevangenis heb ik geleerd om vrij te zijn. Vanaf die dag in maart 2005 begon ik weer te slapen, te eten en mijn cel keurig schoon te houden, en af en toe maakte ik zelfs een praatje met andere gevangenen. In die cel zat een trap, en die poetste ik continu: het was de schoonste trap van de gevangenis. Maar het belangrijkste was dat mijn gedachten van mezelf waren, dat mijn tijd van mezelf was, dat ík van mezelf was. En ik wilde niet alleen voor mezelf leven, maar vooral voor mijn kinderen. Makkelijk zou het niet worden, maar ik was nog jong – drieëndertig – dus ik had de mogelijkheid opnieuw te beginnen. Ik wist dat de anderen, alle anderen, er bepaald niet blij mee zouden zijn, mijn familie niet, en mijn zogenaamde geliefde niet. En zo was het ook.

Alfio Garozzo heeft de wereld volkomen op z'n kop proberen te zetten; hij heeft de trukendoos wijd opengetrokken. Hij heeft de rechters bij wie ik verklaringen aflegde in diskrediet proberen te brengen, en om aan te tonen dat hij gelijk had, dat wij echt verliefd en elkaars minnaars waren, heeft hij de brieven openbaar gemaakt die ik hem in de gevangenis had geschreven. Naïef als ik ben, had ik de zijne helaas aan zijn zuster gegeven. Ik heb al verteld in welke omstandigheden ik ze had geschreven en ook dat, voor ik echt besloot om met justitie te gaan samenwerken, dat voorstel van Garozzo me wel een oplossing leek. De originele brieven heeft hij trouwens nooit aan de onderzoeksrechters afgestaan. Hij haalde er alleen de zinnen uit die hem van pas kwamen, en die plakte hij op een voor hem gunstige manier aan elkaar. Vaak gaf hij daarvan dan ook nog kopieën aan de pers. Een heel jaar lang heeft hij de ANSA bedolven onder het papier, en als hem dat zo uitkomt, zal hij dat zeker weer doen. Maar nu mijn kinderen in veiligheid zijn, kunnen die reacties van hem me nog weinig schelen. Ik zou echter liegen als ik zou beweren dat de reacties van mijn broers me niet geraakt hebben.

Ik heb de krantenstukken bewaard waarin daarover is bericht, en af en toe herlees ik die:

Maffiabaas Leonardo Vitale heeft in het openbaar zijn zuster Giusy 'verstoten'. Sinds half februari werkt Giusy Vitale samen met justitie en onthult ze de geheimen van de maffiaclan van Partinico, die zij na de arrestatie van haar broers heeft geleid. De verklaring van Leonardo Vitale over zijn zuster was te horen tijdens de rechtszitting over de moord op de winkelier Salvatore Riina (niet te verwarren met zijn naamgenoot, de maffiabaas uit Corleone) via een videoverbinding vanuit het gerechtshof in Palermo met de penitentiaire inrichting in Parma waar Leonardo Vitale gedetineerd is.

'Ik heb gehoord dat een ex-bloedverwante van mij' – aldus Leonardo Vitale – 'nu samenwerkt met justitie. Wij verstoten haar, of ze nu leeft of dood is, en we hopen dat dat laatste snel het geval zal zijn.'

Dit alles doet me pijn, omdat ik, ondanks alles, nog steeds van mijn broers hou, en ik hoop dat ook zij op een dag tot het besluit komen waartoe ik gekomen ben. Maar ook laat het me inzien dat ik een lange weg heb afgelegd en geeft het me de moed om Francesco en Rita op te voeden met de juiste normen en waarden, om met hen niet de fouten te maken die mijn familie met mij heeft gemaakt.

DANKBETUIGINGEN

Dit boek dank ik aan mijn kinderen, die altijd pal achter me hebben gestaan.

Ik dank het ook aan Maria Cristina Lo Bianco, advocaat, vriendin en zusje. Ik heb steeds op haar kunnen bouwen, en dat zal altijd zo blijven.

Ik dank het ook aan een heel speciale vriend, die me, ondanks alles, nooit in de steek heeft gelaten.

En aan mijn hartsvriendin Graziella, die me in de afgelopen jaren voortdurend heeft gesteund en geholpen.

Ik dank het ook aan de magistraten Del Bene, De Lucia en Piero Grasso, die in mij hebben willen geloven en me de kracht hebben gegeven door te zetten.

Ik dank het aan alle mensen die me in de afgelopen jaren moed hebben gegeven om door te gaan.

Hartelijke dank aan iedereen.

G.V.